Aprendendo
a silenciar
a mente

OSHO

Aprendendo a silenciar a mente

Inclui CD de meditação

SEXTANTE

Publicado originalmente nos Estados Unidos com
o título *The Buddha Within*.
Copyright © 2002 por Osho International Foundation

tradução e preparo de originais
Carlos Irineu da Costa

revisão
Antonio dos Prazeres
Sérgio Bellinello Soares

projeto gráfico e diagramação
Valéria Teixeira

capa
Alexandra Graham/Mango Design

impressão e acabamento
Lis Gráfica e Editora Ltda.

CIP-BRASIL. CATALOGAÇÃO-NA-FONTE
SINDICATO NACIONAL DOS EDITORES DE LIVROS, RJ.

O91a Osho, 1931-1990.
   Aprendendo a silenciar a mente / Osho;
   tradução de Carlos Irineu Wanderley da Costa. – Rio de Janeiro :
   Sextante, 2002.

   ISBN 85-7542-022-4

   1. Meditação. 2. Vida espiritual. I. Título.

02-0841.   CDD 299.93
                  CDU 299.11

Todos os direitos reservados, no Brasil, por
GMT Editores Ltda.
Rua Voluntários da Pátria, 45 – Gr. 1.404 – Botafogo
22270-000 – Rio de Janeiro – RJ
Tel.: (21) 2538-4100 – Fax: (21) 2286-9244
E-mail: atendimento@sextante.com.br
www.sextante.com.br

SUMÁRIO

O QUE É MEDITAÇÃO? 7

MEDITAÇÃO É SUA NATUREZA 19

MEDITAÇÃO E O FRACASSO DO SUCESSO 37

CURANDO A DIVISÃO ENTRE CORPO E ALMA 45

MEDITAÇÃO É VIDA E NÃO MEIO DE VIDA 49

O CONTENTAMENTO É O OBJETIVO,
A MEDITAÇÃO É O MEIO 59

TODOS JÁ NASCEMOS MÍSTICOS 63

A MENTE É TAGARELA 67

A MENTE É UM FENÔMENO SOCIAL 73

A PSICOLOGIA DOS BUDAS 83

AUTOPERCEPÇÃO E NÃO AUTOCONSCIÊNCIA 91

MEDITAÇÕES ATIVAS PARA O HOMEM MODERNO 97

MEDITAÇÃO NADABRAIIMA 103

INSTRUÇÕES PARA A MEDITAÇÃO NADABRAHMA 107

O QUE É MEDITAÇÃO?

DIZER ALGUMA coisa sobre meditação é uma contradição. Meditação é algo que você pode ter, que você pode ser, mas por sua própria natureza não é possível dizer o que ela é. Ainda assim, diversos esforços foram feitos para falar sobre meditação. Se apenas um conhecimento fragmentado e parcial for possível a partir dessas tentativas, já é muito. Ainda que parcial, essa compreensão pode se tornar uma semente. Isto depende muito de como você ouvir: se apenas escutar as palavras, sem prestar atenção, então nem mesmo um fragmento chegará até você. Mas se você ouvir atentamente, compreenderá.

Escutar é mecânico: qualquer animal que possua ouvidos consegue escutar. Ouvir e compreender, contudo, significa que, enquanto você está escutando, toda sua atenção estará centrada nisso. Aquilo que for dito chegará até você. Sua mente não deve interferir: ouça sem interpretar, sem preconceitos, sem interferência de outras coisas que estejam, nesse momento, passando dentro de você, pois tudo isso é distorção.

No cotidiano, você precisa apenas escutar, sem fazer mais nada, porque as coisas que escuta dizem respeito a objetos comuns. Se eu disser algo sobre a casa, a porta, a árvore, não é preciso ouvir com atenção, estou falando sobre objetos comuns. Mas é preciso prestar atenção quando se fala sobre algo como meditação, pois ela não é um objeto, e sim um estado subjetivo.

Você terá que estar alerta e atento para que alguma coisa possa chegar até você. Mesmo que seja apenas uma pequena compreensão, já será suficiente. Se essa compreensão for parar no lugar certo, no coração, crescerá por conta própria.

Primeiro tente entender a palavra "meditação". Essa não é a palavra mais adequada para o estado que um verdadeiro aprendiz está procurando, por isso quero falar a respeito de determinadas palavras.

Em sânscrito, temos uma palavra especial para meditação: *dhyana*. Essa palavra não tem paralelo em nenhum outro idioma, não pode ser traduzida. Há dois mil anos é dito que ela não pode ser traduzida pela simples razão que em nenhum outro idioma as pessoas experimentam o estado que ela denota. Por isso estes idiomas não possuem essa palavra.

Uma palavra só é necessária quando há algo a ser dito, a ser designado. Em português há três palavras próximas: a primeira é *concentração*. Vi muitos livros que foram escritos por pessoas muito bem-intencionadas, mas eram pessoas que não experimentaram de fato a meditação. Usam a palavra *concentração* como se fosse *dhyana*, mas *dhyana* não é concentração.

Concentração é um estado da mente, e significa que a mente está focada em um único ponto. Em geral a mente está sempre se movendo, e quando ela se move é difícil pensar apenas em um assunto. A concentração é necessária para fazer ciência, por exemplo. Não me surpreende que a ciência não tenha se desenvolvido no Oriente, pois lá a concentração nunca foi valorizada, por não ser necessária para a religião.

Através da concentração, focando em um único ponto, é possível ir cada vez mais fundo em um objeto. É o que a ciência faz: descobre cada vez mais coisas sobre o mundo objetivo. Uma pessoa cuja mente está sempre nas nuvens não pode ser um cientista.

Toda a arte de um cientista está em ser capaz de esquecer o mundo à sua volta e colocar toda sua consciência em uma única coisa. É como concentrar raios solares através de uma lente. A concentração traz os raios de sol, antes dispersos, para um único ponto, criando energia suficiente para gerar fogo.

A consciência tem essa mesma qualidade: concentre-a e você poderá penetrar cada vez mais fundo nos mistérios dos objetos.

A concentração é sempre a restrição de sua consciência. Quanto mais restrita ela se torna, mais poderosa ela será. Mas isso não é religião. Muitas pessoas entenderam isso errado, não apenas no Ocidente, mas também no Oriente, e pensam que concentração é religião. Ela lhe dá enormes poderes, é fato, mas são poderes da mente.

Segundo ponto: meditação não é *contemplação*.

Enquanto a concentração é direcionada para um único ponto, a contemplação é mais ampla. Se você está contemplando a beleza, há milhares de coisas belas, e você pode passar por cada uma delas. Você possui muitas experiências de beleza e pode contemplá-las todas. Você permanece sempre restrito a um assunto, e isso é contemplação. Não estar focado em um único ponto, como a concentração, mas restrito a um assunto. Você e sua mente se moverão dentro desse espaço. A ciência usa a concentração como seu método. A filosofia usa a contemplação. Na contemplação, você esquece tudo aquilo que não pertence ao assunto em questão. A contemplação é um tipo de sonho lógico, é algo raro. A filosofia depende da contemplação. Na filosofia, se alguns fragmentos dentro de um assunto necessitarem de um esforço mais concentrado, a concentração será usada. A filosofia é feita basicamente de contemplação, mas pode usar a concentração como ferramenta em alguns momentos.

A religião, contudo, não pode usar a concentração. Também não pode usar a contemplação, porque religião não diz respeito a um objeto. Não importa se o objeto estiver no mundo externo ou se o objeto for sua mente (um pensamento, uma teoria, uma filosofia), ainda assim será um objeto.

A religião diz respeito àquele que se concentra, àquele que contempla.

Quem é ele?

Você não pode concentrar-se sobre ele. Quem irá concentrar-se sobre ele, se ele é *você*?

Impossível contemplá-lo, pois quem irá contemplar? Você não pode dividir-se em duas partes e colocar uma parte na frente de sua mente, enquanto a outra parte começa a contemplar. Não há qualquer possibilidade de dividir sua consciência em duas partes. E, mesmo se houvesse essa possibilidade – repito, não há, mas faço a suposição de que seja possível dividir sua consciência em dois para podermos argumentar –, então aquele que contempla o outro é você; o outro não é você. O outro nunca é você. Em outras palavras: o objeto nunca é você. Você é, de forma irredutível, o sujeito. Não há como transformá-lo em um objeto. É como um espelho. O espelho pode refletir você, pode refletir qualquer coisa que exista no mundo, mas como fazer que esse espelho reflita a si mesmo? Você não pode colocar esse espelho em frente a si mesmo, pois se você fizer isso ele não estará mais em sua posição original. Um espelho não pode espelhar a si mesmo. A consciência é exatamente um espelho. Você pode usá-la para concentrar-se sobre qualquer objeto. Pode usá-la para contemplar um assunto.

A palavra "meditação", em português, não é a palavra certa, mas, como não há nenhuma outra, devemos usá-la até que *dhyana* seja aceita na língua portuguesa, assim como foi aceita pelos chineses e pelos japoneses, pois a situação era a mesma nesses dois países. Há dois mil anos, quando os monges budistas entraram na China, tentaram encontrar uma palavra que pudesse traduzir a sua palavra, *jhana*.

O Buda Gautama nunca usou o sânscrito como sua língua, usou uma língua que era usada pelo povo. Essa língua chamava-se páli. O sânscrito era a língua dos sacerdotes, dos brâmanes, e uma das idéias essenciais da revolução promovida por Buda era a de que os sacerdotes deveriam ser derrubados, pois não havia razão para sua existência. O homem pode conectar-se diretamente com a existência, isso não deve ser feito através de um agente. Na verdade, *não pode* ser feito através de um mediador.

Isso é fácil de ser compreendido: você não pode amar seu parceiro através de um mediador. Você não pode dizer a alguém: "Olha, estou dando a você 10 reais, por favor, vá lá e ame minha esposa por mim." Um empregado não pode fazer isso, ninguém pode fazer isso em seu lugar – só você mesmo. Caso contrário, os ricos não se preocupariam com esse assunto tão complexo. Eles têm muitos empregados, muito dinheiro, poderiam mandar os melhores empregados possíveis, mas por que se preocupariam pessoalmente com essa tarefa?

Há coisas que você precisa fazer por si mesmo: dormir e comer, por exemplo. Como então um sacerdote, que nada mais é que um empregado, poderia mediar o relacionamento entre você e a existência, ou Deus, ou a natureza, ou a verdade?

Religião, portanto, não é contemplação.

Não é concentração.

É meditação.

Mas meditação precisa ser entendida como significando *dhyana*, porque a palavra meditação, em português, traz sempre uma noção errônea. Vamos primeiro tentar entender o que ela significa em português. Quando você diz que "medita", podem perguntar: "Sobre o que você está meditando?" É preciso que haja um objeto: a própria palavra traz uma referência a um objeto, e dizemos "estou meditando sobre a beleza, sobre a verdade, sobre Deus". Não se pode dizer apenas: "estou meditando", a frase fica incompleta. Você tem que dizer sobre o que está meditando, esse é o problema.

Dhyana significa "eu estou em meditação", não é nem mesmo "estou meditando". Se formos traduzir ao pé da letra, o sentido de *dhyana* seria "eu sou meditação". Buda usou *jhana*, a transformação de *dhyana* em páli. Buda usou a linguagem do povo como parte de sua revolução porque, disse ele, "a religião precisa usar aquilo que é comum, a linguagem corrente, de forma que os sacerdotes não sejam mais necessários. As pessoas podem entender as escrituras, podem entender os sutras, podem entender o que estão fazendo. Sacerdotes não são necessários".

O sacerdote é necessário porque usa uma língua diferente, que o povo não pode usar, e continua reforçando a idéia de que o sânscrito é a língua divina e nem todos têm permissão para lê-la.

Através de Buda e de sua revolução, *jhana* chegou à China, onde tornou-se ch'an. Como não tinham uma palavra própria, usaram *jhana*, mas, como em cada idioma a pronúncia se altera, surgiu a palavra ch'an. Ao chegar ao Japão tornou-se zen, mas ainda é a mesma palavra *dhyana*. Aqui estamos usando a palavra meditação no sentido de *dhyana*.

Em português é algo entre concentração e contemplação. A concentração é focada em um único ponto, enquanto a contemplação abrange uma área mais extensa, e a meditação é um fragmento dessa área. Quando você está contemplando determinado assunto, há algumas coisas que necessitam de maior atenção. Então você medita. É isso que "meditação" significa em português: concentração e contemplação são os dois pólos, a meditação está exatamente no meio. Mas não vamos tomar a palavra em seu sentido usual, estamos dando a ela um novo sentido.

Meditação é sentar-se sem fazer nada – não usar seu corpo nem sua mente.

Se você começar a fazer alguma coisa, ou você entrará em estado contemplativo ou estará concentrado ou executará uma ação – de toda forma, estará movendo-se para fora de seu centro. Quando você não estiver fazendo absolutamente nada, seja física ou mentalmente ou em qualquer outro nível, quando toda atividade houver cessado e você estiver apenas sendo, isto é meditação. Não é possível fazê-la, não é possível praticá-la. É preciso apenas compreendê-la.

Sempre que você conseguir, pare todo o resto e encontre tempo para apenas ser. Pensar também é fazer, concentrar-se também é fazer, contemplação é fazer. Mesmo que seja um único momento em que você não esteja fazendo nada e esteja apenas em seu centro, completamente relaxado, isto é meditação. E quando você pegar o jeito, poderá ficar nesse estado por quanto tempo quiser. Com o tempo, poderá ficar nesse estado durante as 24 horas do dia.

Após ter experimentado esse estado de tranquilidade, então, aos poucos, você começará a fazer coisas, mantendo-se alerta para que seu ser não seja perturbado. Esta é a segunda parte da meditação. Primeiro, aprender a simplesmente ser, depois aprender pequenas ações: limpar o chão, tomar banho, mas sempre mantendo-se no centro. Depois você poderá fazer coisas mais complexas.

Por exemplo, estou me dirigindo a você, mas minha meditação não foi perturbada. Posso continuar falando, mas em meu centro não há sequer um ruído. Há apenas silêncio, silêncio absoluto.

Então a meditação não é contra a ação. Isso não significa que você tenha que fugir da vida: você se torna o centro do ciclone.

Sua vida continua e, na verdade, torna-se mais intensa, mais cheia de alegria, com maior clareza, mais visão e mais criatividade. Ainda assim, você está nas nuvens, um observador nas montanhas, apenas vendo o que ocorre a seu redor. Você não é aquele que faz, mas sim o que observa. Todo o segredo da meditação está em tornar-se o observador. As ações continuam em seu nível, não há problemas. Você pode fazer coisas pequenas ou grandes. A única coisa que não lhe é permitida é perder seu centro. Essa percepção deve permanecer absolutamente límpida, imperturbável.

A meditação é um fenômeno muito simples.

A concentração é muito complicada porque você precisa se esforçar, é cansativo. A contemplação é um pouco melhor porque você tem mais espaço para se mover. Você não está se movendo através de um pequeno buraco que irá se tornar cada vez mais estreito, como na concentração.

A concentração tem a "visão de túnel". Você já reparou em um túnel? Visto de um lado, de onde você está olhando, ele é grande. Mas se o túnel tiver três quilômetros, o outro lado será apenas uma luz redonda e pequena. Quanto maior o túnel, menor será o outro lado. Quanto mais brilhante for o cientista, maior será o túnel. Ele precisa focar, e focar é sempre algo tenso.

A concentração não é natural para a mente. A mente gosta de vagabundear, de mover-se de uma coisa para outra. Está sempre excitada com novidades. Na concentração, a mente está quase aprisionada.

Na contemplação há mais espaço para explorar, para se mover. Ainda assim, é um espaço limitado.

A meditação, a meu ver, possui todo o espaço, a existência inteira à sua disposição. Você é o observador, pode observar toda a cena. Não é preciso esforço para se concentrar em uma coisa, nem para contemplar. Você não está fazendo nada disso, está apenas observando. É um jeito. Não é ciência, não é arte, não é trabalho – é jeito.

Você precisa, então, brincar um pouco com a idéia. Sentado no banheiro, brinque com a idéia de que você não está fazendo nada. Um dia você se surpreenderá: de tanto brincar com a idéia, ela terá acontecido, pois é algo que está em sua natureza. Basta esperar o momento certo. E como você não pode saber qual será o momento certo, continue brincando com a idéia.

Estou usando a palavra "brincar" porque sou uma pessoa pouco sisuda e minha abordagem da religião não é sisuda.

Continue brincando, aproveite todo o tempo livre. Confortavelmente deitado na cama, se o sono não vier, brinque com essa idéia. Por que se preocupar com o sono? Ele virá quando vier, não há nada que você possa fazer a respeito. Você tem esse tempo, aproveite-o. Você não precisa sentar-se na posição de lótus. Em minha abordagem da meditação, não é preciso se torturar de forma alguma.

Se você gosta de sentar-se em lótus, então faça isto. Mas os ocidentais que vão para a Índia levam seis meses para aprender a posição de lótus, e se torturam com isso. Acham que, quando tiverem aprendido a posição de lótus, terão ganho algo. Toda a Índia senta-se em posição de lótus e ninguém jamais ganhou algo com isso. É apenas a maneira mais natural que eles têm para sentar-se. Em um país frio, é preciso sentar-se em uma cadeira para ficar longe do chão. Em um país quente, quem se importa com cadeiras? É possível sentar-se em qualquer lugar.

Nenhuma postura especial é necessária, nenhum tempo especial é necessário. Há pessoas que pensam que há um momento especial, mas qualquer momento é bom para a meditação. Basta que você esteja relaxado e querendo se divertir.

Se nada acontecer, não importa. Não se sinta mal por isso, pois garanto a você que algo acontecerá hoje, ou amanhã, ou em três meses ou em seis meses... Não vou criar nenhuma expectativa porque isso se tornará uma tensão em sua mente. Pode acontecer em qualquer dia, pode não acontecer: depende de quanto você estiver se divertindo.

Sempre que você se sentir relaxado, sempre que não estiver tenso, brinque com a idéia de meditação da forma que lhe expliquei. Fique em silêncio, centrado em si mesmo, e um dia algo acontecerá.

Há apenas sete dias durante a semana, então algo poderá acontecer na segunda, na terça, na quarta, na quinta, na sexta, no sábado ou no domingo. Não há como saber. Apenas aproveite a idéia e brinque com ela tantas vezes quanto for possível. Se nada acontecer – lembre-se, não estou lhe prometendo nada –, não há problema: você terá se divertido. Você brincou com essa idéia, fez uma tentativa.

Dizem que devemos agarrar as oportunidades. Pois eu digo o contrário: continue aberto à meditação e, quando o momento chegar, quando você estiver realmente relaxado e aberto, a meditação irá agarrá-lo.

E depois disso não o deixará mais.

Não há como. Então pense duas vezes antes de entrar neste jogo!

MEDITAÇÃO É SUA NATUREZA

O QUE É a meditação? É uma técnica que pode ser praticada? É um esforço que você deve fazer? É algo que a mente pode atingir? Não é nada disso.

Tudo que a mente pode fazer não é meditação, pois a meditação está além da mente e não pode ser penetrada por ela. Onde a mente acaba, a meditação começa. Lembre-se disso, pois, em nossas vidas, tudo que fazemos é feito pela mente. Portanto, quando nos voltamos para dentro, começamos novamente a pensar em termos de técnicas, de métodos e realizações, porque nossa experiência de vida nos mostra que tudo pode ser feito pela mente. Tudo, exceto a meditação. A meditação não pode ser feita pela mente porque não é algo que se conquiste. A meditação já está lá, é sua natureza. Não precisa ser conquistada, basta que seja lembrada. Está lá, esperando por você. Basta voltar-se para dentro, e ela está disponível. Sempre esteve dentro de você.

A meditação é sua natureza intrínseca, não tem nada a ver com suas atividades. Você não pode tê-la, assim como não pode *não* tê-la. Ela não pode ser possuída, não é uma coisa. É você. É o seu ser.

Uma vez que você tenha entendido o que é a meditação, as coisas começam a ficar muito claras. Caso contrário, continuará tropeçando no escuro.

A meditação é um estado de clareza e não um estado da mente. A mente é confusa, nunca está clara. Não pode estar. Os pensamentos criam nuvens a seu redor, nuvens sutis. Uma névoa é criada por eles e a clareza se perde. Quando os pensamentos desaparecem, quando não há mais nuvens a seu redor, quando você está apenas sendo você mesmo, a clareza advém. Então é possível ver bem longe. É possível enxergar até o fim da existência, e seu olhar se torna penetrante, indo ao centro do ser.

A meditação é essa clareza absoluta da visão. Não é possível pensar sobre ela. Você deve parar de pensar. Quando digo "parar de pensar", não tire conclusões apressadas, pois tenho que usar este idioma para me expressar. Eu digo "pare de pensar", mas, se você fizer um esforço no sentido de parar, estará no caminho errado, pois terá mais uma vez reduzido a meditação a uma ação.

"Pare de pensar" significa apenas: não faça nada. Sente-se. Deixe que os pensamentos se acomodem. Deixe que a mente pare por conta própria. Apenas sente-se olhando para a parede, em um canto silencioso, sem fazer nada. Relaxado. Solto. Sem esforço. Sem ir a lugar nenhum. Como se você estivesse dormindo acordado – você está acordado e está relaxando, mas todo o seu corpo está caindo no sono. Você permanece alerta por dentro, mas todo o corpo se move para um relaxamento profundo.

Os pensamentos se acomodam sozinhos. Se você vê que a água de um riacho está lamacenta, o que faz? Pula dentro do riacho para tentar ajudar a água a ficar límpida? Você irá apenas gerar mais lama. Sente-se na margem, então. Espere, pois não há nada a ser feito. Se alguém cruzou o riacho e as folhas caídas vieram à superfície com a lama, é preciso ter paciência. Observe, indiferente. O riacho continuará fluindo, as folhas serão levadas pela corrente e a lama irá depositar-se, pois não pode flutuar para sempre. Após algum tempo, você irá perceber que a água está límpida novamente.

Sempre que um desejo cruza sua mente, o riacho fica lamacento. Então sente-se, sem fazer nada. No Japão, este "sentar sem fazer nada" é chamado de *zazen*. Sente-se e, um dia, a meditação acontecerá. Você não a trará, ela virá a você. E quando vier, você irá reconhecê-la imediatamente. Ela sempre esteve lá, mas você não estava olhando na direção adequada. O tesouro estava com você, mas você estava ocupado com outra coisa: pensamentos, desejos, mil outras coisas. Não estava interessado na coisa mais importante: seu próprio ser.

Quando a energia entra – o que Buda chamou de *parabvrutti*, o retorno de sua energia à fonte –, subitamente a clareza é atingida. Nesse momento você poderá ver nuvens a milhares de quilômetros, poderá ouvir a música antiga das árvores. Nesse momento tudo estará a seu alcance.

É preciso compreender algumas coisas a respeito da mente, pois, quanto mais você entender o mecanismo da mente, maior será a possibilidade que você não interfira. Maior será sua possibilidade de sentar-se em *zazen*, ou seja, ser capaz de apenas sentar-se, sem fazer nada. Permitir que a meditação ocorra: é um acontecimento.

Caso contrário, é possível que você continue estimulando a mente a funcionar sem parar.

A primeira coisa a entender a respeito da mente é que há uma tagarelice constante. Quer você esteja falando ou não, ela continua a falar internamente. Quer você esteja acordado ou adormecido, a conversa interna continua, como uma espécie de ruído de fundo. Mesmo quando você trabalha, dirige ou caminha, a tagarelice interna continua.

A mente fala o tempo todo. Se esse falatório interno puder ser silenciado, mesmo que durante um único instante, você terá uma breve visão da não-mente. Esse é o objetivo e a essência da meditação. O estado de não-mente é o estado correto e natural.

Como chegar, então, a um intervalo no qual a mente pare com a falação interna? Mais uma vez, se você se esforçar para isso, estará no caminho errado. Não é necessário se esforçar, pois, na verdade, este intervalo ocorre o tempo todo, basta estar atento. Entre dois pensamentos há um intervalo. Até mesmo entre duas palavras há um intervalo. Caso contrário, pensamentos e palavras iriam se sobrepor.

Não importa o que você esteja dizendo: "Uma rosa é uma rosa é uma rosa." Entre duas palavras, por mais invisível e imperceptível que seja, há um intervalo. Com um pouco de atenção você irá perceber este intervalo: uma-rosa-é-uma-rosa-é-uma-rosa. O intervalo ocorre continuamente, após cada palavra.

Sua percepção de mundo precisa ser alterada. Geralmente

você está atento às palavras e não aos intervalos. Você está olhando para "uma" e para "rosa", mas não para o intervalo entre as duas.

Mude o foco.

Pense em uma daquelas imagens nas quais, olhando de determinada maneira, você vê uma velha, mas, se continuar prestando atenção, subitamente a imagem se transforma e você percebe uma linda jovem. As mesmas linhas traçam uma velha e uma jovem. Se você permanecer olhando para a face jovem, a imagem irá se alterar mais uma vez, porque a mente não consegue manter um foco constante em nada, está sempre em fluxo.

Você irá notar, contudo, que, ao ver a face da velha, é impossível ver a face da jovem, mesmo que você saiba que ela está oculta em algum lugar. O contrário também é verdadeiro. Não é possível ver as duas ao mesmo tempo, pois estão em oposição.

Quando você vê a figura, o fundo desaparece, e quando você vê o fundo, a figura desaparece. A mente possui uma capacidade de conhecimento limitada e não consegue perceber, simultaneamente, coisas que estão em oposição. Por isso não pode perceber Deus, pois Deus possui lados opostos. É também por isso que a mente não consegue entender o mais profundo de seu ser, pois ele abrange todas as contradições, é sempre paradoxal.

A mente só pode ver uma coisa de cada vez. Portanto, quando você está prestando atenção nas palavras, não é possível ver o silêncio que vem depois de cada uma delas. Mude seu foco. Sente-se, silenciosamente. Comece a olhar nos intervalos. Sem esforço, sem estresse. De forma relaxada, fácil, como se fosse algo divertido, como se fosse um jogo. Não adote uma postura religiosa quanto a isso, do contrário você se tornará sério demais e, se você ficar sério, será muito difícil mover-se de palavras para não-palavras. Mas será fácil se você permanecer solto, flutuando, despretensioso e brincalhão.

Milhões de pessoas deixam de compreender a meditação porque esta palavra tomou uma conotação errada. Parece muito séria, parece sombria, parece ser algo que serve apenas para pessoas que estão mortas, ou quase mortas, que também são sombrias, sérias, que perderam sua festividade, alegria, contentamento. E estas são, justamente, as qualidades da meditação. Uma pessoa realmente meditativa é brincalhona e divertida, pois a vida é alegre para ela. A vida é *leela*, uma brincadeira, e ela se diverte enormemente. Não é uma pessoa séria, mas sim alguém que está muito relaxado.

Sente-se silenciosamente, então, relaxado, solto, e permita que sua atenção flua em direção aos intervalos. Escorregue da borda das palavras para dentro dos intervalos. Deixe que os intervalos se tornem mais proeminentes e permita que as palavras desapareçam aos poucos. É como se você estivesse olhando em um quadro-negro e desenhasse um pequeno ponto branco sobre ele: você pode ver o ponto branco, e então o quadro-negro desaparece, ou você pode ver o quadro-negro, e então o ponto se torna secundário.

As palavras são as figuras, o silêncio é o fundo. Palavras vão e voltam, o silêncio permanece. Quando você nasceu, nasceu como silêncio – apenas intervalos e intervalos, espaços e espaços.

Veio ao mundo com um vazio infinito, um vazio sem limites que trouxe você à vida. E então você começou a colecionar palavras.

O vazio é seu ser.

A mente significa palavras, o ser significa silêncio. A mente não é nada além das palavras que você acumulou. O silêncio é aquilo que sempre esteve com você, não é um acúmulo. Este é o sentido do ser. É sua qualidade intrínseca. Em segundo plano, por trás do silêncio, você vai acumulando as palavras, e o conjunto das palavras é conhecido como mente.

Silêncio é meditação. É necessário alterar a percepção, mudar o foco das palavras em direção ao silêncio, que está sempre presente.

Cada palavra é um precipício: a partir delas é possível mergulhar no vale do silêncio. Este é o sentido dos mantras: mergulhar no silêncio a partir das palavras. Um mantra significa repetir e repetir e repetir uma única palavra inúmeras vezes. Em algum momento você se cansa dessa palavra, pois não há nada de novo nela. Esse cansaço ajuda você a se livrar da palavra, de forma que possa mergulhar no silêncio mais facilmente.

O silêncio está sempre lá, escondido no canto. Se ficar repetindo Ram, Ram, Ram... por quanto tempo você consegue repetir isso? Logo estará cansado. Usar um mantra para criar esse cansaço, para que você queira se livrar da palavra, é ótimo, pois não haverá outra saída senão mergulhar no silêncio.

Quando as palavras mudam, e em geral elas mudam, você não se cansa. Uma nova palavra, uma nova idéia, um novo sonho ou desejo, tudo isso é sempre atraente. Mas se você percebe que sua mente está repetindo sempre a mesma coisa, ou você dorme ou mergulha no silêncio – essas são as duas únicas possibilidades.

Muitas pessoas que cantam mantras adormecem. Por isso a meditação transcendental é usada para pessoas que sofrem de insônia, e daí também seu apelo no Ocidente. Insônia tornou-se algo normal. Quanto mais insônia houver, maior será o apelo do Maharishi Mahesh Yogi, pois as pessoas precisam de tranqüilizantes. Um mantra é um tranqüilizante perfeito, mas esse não é seu verdadeiro uso. Não há nada de errado nisso: se o mantra lhe trouxer um bom sono, ótimo. Mas você estará usando algo muito poderoso para um fim muito limitado.

Um mantra tem que ser usado com a total compreensão de que seu objetivo é criar um estado de cansaço, mas que você deve se lembrar de não cair no sono. Do contrário, terá errado o alvo. Não durma. Repita o mantra, mas não se permita dormir. Para que você não durma, é melhor repetir o mantra de pé, ou andando.

Se você for a Bodhgaya, onde o Buda Gautama atingiu a iluminação, perto da árvore *bodhi*, você encontrará um pequeno caminho. Buda caminhava constantemente ali. Meditava sob a árvore durante uma hora, depois caminhava durante uma hora.

Quando seus discípulos perguntavam "Por quê?", ele respondia: "Se eu ficar sentado tempo demais sob a árvore, fico sonolento."

Quando a sonolência começar a chegar, é preciso caminhar, caso contrário você irá cair no sono e a razão de ser do mantra estará perdida. O mantra está ali para criar um estado de cansaço de forma que você possa mergulhar no abismo. Se você cair no sono, terá perdido o abismo.

Todas as meditações budistas se alternam entre dois estados. Você começa sentado, mas quando sente a sonolência tomar conta de você, deve levantar-se e meditar andando. Quando perceber que já está novamente acordado, sente-se de novo e continue meditando. Se fizer isso repetidamente, chegará o momento em que você escorregará para fora das palavras, como se trocasse de pele. E tudo isso ocorre naturalmente, sem esforço.

A primeira coisa a ser lembrada sobre a mente, portanto, é que há um falatório constante. É esse ruído que mantém a mente viva. Então livre-se das garras da mente, livre-se do falatório constante.

Você pode fazer isso à força, mas nesse caso terá errado o alvo de novo. Você pode se obrigar a não falar dentro de si mesmo, assim como pode se obrigar a manter silêncio em relação aos outros. Será um silêncio forçado, difícil no início, mas você pode insistir e obrigar a mente a ficar em silêncio. É possível.

Se você for até as montanhas do Himalaia, encontrará várias pessoas que atingiram esse estado, mas verá uma apatia em suas faces, e não inteligência. A mente não foi transcendida, ela foi apenas esvaziada. Essas pessoas não se moveram para um silêncio cheio de vida, apenas forçaram a mente e a controlaram. É como se uma criança fosse obrigada a sentar-se em um canto e não se mover. Observe-a. Ela fica irrequieta, mas tenta se controlar. Está reprimindo sua energia, com medo de ser punida.

Se isto continuar por muito tempo – e na escola as crianças são obrigadas a ficar cinco ou seis horas sentadas –, aos poucos vão ficando apáticas, sua inteligência se perde. Toda criança nasce inteligente e quase noventa e nove por cento das pessoas morrem burras. Todo o processo de educação esvazia a cabeça, e você também corre o risco de fazer isso a si mesmo.

Você irá perceber que, em sua maioria, as pessoas religiosas são burras, mesmo que você não consiga ver isso com clareza devido ao que pensa a respeito delas. Mas se tiver o olhar aberto, vá e observe os *sannyasins*. Descobrirá que são burros e obtusos, não encontrará neles qualquer sinal de inteligência ou criatividade.

A paralisia não é meditação, e não é saudável. Você pode paralisar a mente, há milhares de truques para fazê-lo. Há pessoas que se deitam sobre uma cama de pregos. Se você se deitar continuamente em uma cama de pregos, seu corpo se torna insensível. Não há milagre algum nisso, você está simplesmente removendo a sensibilidade do corpo. Quando o corpo perde sua vitalidade não há mais problemas, a cama deixa de ser feita de pregos para você. Talvez seja até mesmo confortável. Na verdade, se lhe derem uma cama confortável é possível que você não seja capaz de dormir. Isto é paralisar o corpo.

Há maneiras similares de paralisar a mente, como jejuar, por exemplo. A mente avisa que o corpo está com fome, mas você não presta atenção e não providencia comida, não ouve a mente. Aos poucos ela vai se esvaziando. O corpo continua a sentir fome, mas a mente não relata mais nada. Qual seria o propósito, já que não há ninguém para ouvi-la reclamar? Não há ninguém para responder. Então uma certa paralisia toma conta da mente. Muitas pessoas que passam longos períodos em jejum acreditam ter atingido a meditação. Não é meditação, é apenas baixa energia, paralisia, insensibilidade. Movem-se como zumbis, não estão vivos. Lembre-se, a meditação irá trazer para você cada vez mais inteligência, uma inteligência radiante. A meditação o tornará mais vivo e mais sensível, sua vida se tornará mais rica.

Olhe para os ascetas: a vida deles se torna quase uma não-vida. Essas pessoas não são meditadores. Podem ser masoquistas, talvez, torturando-se e tirando prazer dessa tortura... A mente é muito astuciosa, faz uma coisa qualquer e depois racionaliza em cima disso. Em geral somos violentos uns com os outros, mas a mente é astuciosa e pode aprender a não-violência, pode pregar a não-violência. E depois se torna violenta contra si mesma. Curiosamente, a violência que você comete contra si mesmo é respeitada pelas pessoas porque elas têm uma idéia de que ser um asceta é ser religioso. Isso é uma besteira completa.

Deus não é um asceta, do contrário não haveria flores, não haveria árvores verdes – apenas desertos. Deus não é um asceta, do contrário não haveria música na vida, nem dança – apenas cemitérios. Deus não é um asceta, Deus ama a vida. Se você pensar em Deus, pense em Epicuro, pense na alegria de viver. Deus é uma busca constante por mais felicidade, prazer, êxtase. Lembre-se disso.

A mente, contudo, pode racionalizar a paralisia como se fosse meditação. Pode racionalizar apatia como transcendência, e morbidez como renúncia. Fique atento. Lembre-se sempre de que, se estiver se movendo na direção certa, você irá florescer. Muitas fragrâncias emanarão de você e você será criativo. E também sensível à vida, ao amor e a tudo que Deus colocou à sua disposição.

Mantenha um olhar penetrante dentro de sua mente – busque as motivações. Quando você fizer qualquer coisa, procure imediatamente a motivação porque, se perder a motivação, a mente irá continuar a enganá-lo e dizer que alguma outra coisa era sua motivação.

A mente o engana 24 horas por dia e ainda assim você coopera com ela. Então, no final de tudo, você está na miséria e acaba indo parar no inferno. A cada momento, busque a motivação real por trás de suas ações. Se você puder encontrá-las, a mente se tornará cada vez menos capaz de enganá-lo. E quanto mais longe você estiver desse engano, quanto mais for capaz de ultrapassar a mente, mais próximo estará de se tornar um mestre.

Procure e encontre as motivações reais. Uma vez que você se torne capaz de encontrar suas reais motivações, a meditação estará muito próxima, porque, então, a mente não mais terá controle sobre você.

A mente é um mecanismo, não possui inteligência. A mente é um biocomputador. Como poderia ter inteligência? Tem muitas habilidades, mas isso não é inteligência. Tem utilidade funcional, mas nenhuma percepção. É um robô: trabalha bem, mas não preste muita atenção nela – caso contrário, você perderá sua inteligência interior. Se isso ocorrer, será como se você estivesse pedindo a uma máquina, que não tem nada de original dentro dela, que o guie, o conduza. Nenhum pensamento da mente é original, são todos repetições. Observe. Sempre que a mente disser algo, veja como ela está tentando levá-lo de volta a uma rotina.

Pessoas que são criativas – poetas, pintores, músicos, dançarinos – são mais facilmente transformadas em meditadores. Já as pessoas que têm vidas menos criativas são mais difíceis. Se você vive uma vida repetitiva, é porque sua mente tem controle demais sobre você. Tente fazer algo novo a cada dia, e a mente terá menos controle sobre você. Não preste atenção às velhas rotinas: quando a mente disser alguma coisa, responda: "Nós estamos fazendo isso há muito tempo. Vamos fazer algo novo."

Faça algo novo. Mesmo que sejam pequenas mudanças na forma em que você tem vivido, mesmo que sejam mudanças em sua forma de andar, na forma de falar. Mude, e perceberá que a mente está perdendo o controle sobre você – você está se tornando um pouco mais livre.

A cada momento você se renova, renasce, a consciência nunca envelhece. A consciência é sempre o filho e a mente é sempre o pai. A mente nunca é nova e a consciência nunca é velha, e a mente sempre aconselha o filho. A mente irá criar o mesmo padrão para que a consciência o repita.

Você viveu de acordo com alguns padrões até agora. Você não deseja mudar? Você pensou de uma certa forma até agora. Você não deseja obter algumas novas visões sobre seu ser? Então fique alerta e não ouça a mente.

A mente é seu passado tentando constantemente controlar seu presente e seu futuro. É o passado morto, que permanece controlando o presente vivo. Fique alerta quanto a isso.

Mas de que forma a mente o controla? Ela usa o seguinte método: "Se você não me escutar, não será tão eficiente quanto eu sou. Se você fizer algo já conhecido, será mais eficiente pois já fez isso antes. Se fizer algo novo, não poderá ser tão eficiente." A mente fala sempre como um economista, um especialista em eficácia. Fica dizendo: "É mais fácil fazer assim. Por que tentar da forma mais difícil? Este é o caminho que oferece a menor resistência."

Lembre-se: quando tiver que escolher entre duas alternativas, escolha sempre a nova, a mais difícil, aquela na qual é necessária uma percepção maior. Escolha a percepção, mesmo que seja menos eficaz, e você terá criado a situação na qual a meditação se tornará possível. São apenas algumas situações. A meditação irá ocorrer. Não estou dizendo que basta fazer isso para que você atinja a meditação, mas certamente essas situações irão ajudar a criar um quadro propício à meditação.

Portanto, seja menos eficiente e mais criativo. Deixe-se guiar por este pensamento. Não se preocupe muito com fins utilitaristas. Em vez disso, lembre-se, constantemente, de que você não veio ao mundo para se tornar uma mercadoria. Você não está aqui para ser uma ferramenta, isso não é digno. Nem para tornar-se cada vez mais eficiente, e sim para tornar-se cada vez mais vivo, mais inteligente, cada vez mais feliz, até o êxtase da felicidade. Mas esses caminhos são totalmente diferentes dos caminhos da mente.

As pessoas estão sempre procurando caminhos para controlar as outras, caminhos que lhes possam dar mais lucro. Se é isto que você procura, estará sempre sob o controle da mente. Esqueça essa idéia de controlar outras pessoas. Uma vez que você tenha deixado de lado a idéia de controlar os outros – seja marido ou mulher, filho ou pai, amigo ou inimigo –, a mente não poderá controlar você porque ela terá se tornado inútil.

A mente é útil para controlar o mundo. É útil para controlar a sociedade. Um político é incapaz de meditar, pois ele está no outro extremo. Alguns políticos vêm me procurar. Dizem que estão interessados em meditação, mas não é exatamente meditação o que querem. Estão tensos demais e querem relaxar um pouco. Então vêm me perguntar se posso ajudá-los a aliviar suas tensões, para que tenham um pouco de paz. Digo-lhes que isso é impossível. Eles têm mentes ambiciosas, e pessoas com mentes ambiciosas não podem meditar, porque a própria base da meditação é não ser ambicioso. Ambição significa o esforço para controlar os outros. É justamente nisso em que consiste a política: o esforço para controlar o mundo inteiro. Se você quiser controlar outras pessoas, terá que ouvir a mente, porque a mente gosta muito de violência.

Você também não tem liberdade para experimentar coisas novas, pois o que é novo é sempre arriscado. É necessário tentar aplicar de novo as mesmas velhas táticas. Saiba então que, se você deseja controlar os outros, não será capaz de meditar – tenho absoluta certeza quanto a isso.

A mente vive em uma espécie de transe, uma espécie de estado de inconsciência. Você só está consciente muito raramente: quando sua vida corre perigo, por exemplo. Fora isso, a mente prossegue em seu movimento, adormecida. Fique parado na calçada e olhe para as pessoas, você verá sombras de sonhos em suas faces. Há pessoas falando sozinhas, ou gesticulando – olhe para uma dessas pessoas e você verá que ela está em algum outro lugar, e não na rua. É como se as pessoas se movessem em sono profundo.

Sonambulismo é o estado geral da mente. Se você quer tornar-se um meditador, é preciso deixar de lado esse hábito de fazer as coisas adormecido. Ande, mas esteja alerta. Cave um buraco, mas esteja alerta. Coma, mas ao comer não faça nada além disso: apenas coma. Esteja alerta a cada mordida, mastigue com consciência. Não se permita vagar a esmo pelo mundo: esteja presente aqui e agora.

Você perceberá que sua mente está sempre fazendo alguma outra coisa, indo para outro lugar, pois nunca quer estar aqui. Isso porque, se a mente estiver aqui, ela não será mais necessária. No presente apenas a consciência é necessária, mas não a mente. A mente só é necessária em algum lugar do futuro, do passado, mas nunca aqui. Quando você sentir que a mente foi para outro lugar, quando você estiver em uma cidade e sua mente estiver do outro lado do mundo, fique alerta imediatamente. Volte para casa. Volte para o lugar onde você se encontra.

Ao comer, coma. Ao andar, ande. Não permita que a mente fique vagando pelo mundo.

Novamente, isso não se tornará meditação, mas ajudará em seu caminho.

As pessoas vivem adormecidas praticamente todo o tempo e aprenderam um truque: aprenderam a fazer as coisas sem perturbar seu sono. Se você se tornar um pouco mais alerta, muitas vezes irá se surpreender fazendo coisas que nunca quis fazer, coisas das quais você sabe que irá se arrepender, coisas que você havia decidido, recentemente, nunca mais fazer. E muitas vezes você se ouvirá dizer: "É, eu fiz isso, mas não sei como foi acontecer. Fiz isso contra minha própria vontade." Como você pode fazer algo contra sua própria vontade? Isso só é possível se você estiver dormindo. E você continuará dizendo que nunca quis isso, mas em algum lugar lá no fundo você deve ter tido um desejo. Observe sua mente: na superfície ela diz algo, mas no fundo, ao mesmo tempo, está planejando outra coisa. Fique um pouco mais alerta e não se deixe adormecer.

Pare com esses truques. Seja sincero com sua mente, e o controle que ela tem sobre você irá cessar.

MEDITAÇÃO E O FRACASSO DO SUCESSO

POR QUE O Ocidente está cada vez mais interessado na meditação? E por que, ao mesmo tempo, muitos países do Oriente parecem ter perdido o interesse por seus próprios tesouros espirituais?

No Ocidente, as pessoas conseguiram atingir toda a abundância que a humanidade, como um todo, tem buscado durante séculos. O Ocidente obteve sucesso material, tornou-se rico e agora está cansado demais. A jornada desgastou sua alma, cansou os ocidentais. No plano material, externo, tudo está disponível, mas o contato com o interior se perdeu. Agora tudo que é necessário está disponível, mas o homem não está mais lá. As posses ficaram, mas os mestres se foram. Ocorreu um grande desequilíbrio. A riqueza está presente, mas as pessoas não se sentem nem um pouco ricas. Pelo contrário, estão se sentindo pobres, muito pobres.

Pense neste paradoxo: é apenas quando você se torna materialmente rico que você percebe, por contraste, sua pobreza interna. Quando você é pobre no plano material, você jamais percebe a pobreza interna, pois não há contraste. Pelo mesmo motivo escrevemos com giz branco em quadros-negros, e não em quadros brancos, pois do contrário não seria possível ver nada. O contraste é essencial.

Quando você é materialmente rico, subitamente há uma grande percepção de que "por dentro eu sou pobre, sou um mendigo". E junto vem uma falta de esperança, como uma sombra: "Tudo que pensamos foi realizado, todas nossas fantasias e nossa imaginação foram realizadas, e não obtivemos nada a partir disso, nenhum contentamento, nenhum prazer."

O Ocidente está desorientado. E, partindo dessa desorientação, surge um grande desejo: como entrar novamente em contato com seu próprio eu?

A meditação nada mais é do que se enraizar novamente no próprio mundo interno, em sua interioridade. Por isso o interesse do Ocidente pela meditação e pelos tesouros do Oriente.

É preciso entender que o Oriente também estava interessado em meditação quando era rico. Essa é a razão pela qual não sou contra a riqueza e não acredito que a pobreza traga consigo qualquer espiritualidade. Sou profundamente contra a pobreza porque sempre que um país se torna pobre ele perde contato com todas as meditações, todos os esforços espirituais. Sempre que um país fica materialmente pobre, ele deixa de perceber sua pobreza interna.

É por isso que você encontra, na face dos indianos, um tipo de contentamento que não é encontrado no Ocidente. Não é um contentamento real, mas sim uma falta de percepção de sua pobreza interior. Os indianos pensam: "Veja a ansiedade, a angústia e a tensão na face dos ocidentais. Nós somos pobres, mas por dentro temos um grande contentamento." Isso é uma besteira completa, eles não estão contentes. Vi milhares de pessoas e estou certo disso. Estou certo também de que não percebem que estão descontentes, já que para perceber esse descontentamento é necessária alguma riqueza exterior. Há muitas provas disso.

Todos os *avataras* dos hindus eram reis ou príncipes. Todos os *teerthankaras*, todos os profetas dos jainas eram reis. Assim como Buda. As três grandes tradições da Índia, então, são provas do que disse acima.

Por que Buda se tornou descontente, por que ele começou sua busca pela meditação? Porque era rico. Vivia em abundância, tinha todo o conforto, tudo que poderia desejar materialmente. Subitamente ele atingiu uma percepção, uma consciência. E não era muito velho quando atingiu essa percepção, tinha apenas vinte e nove anos quando percebeu que havia um buraco escuro dentro dele. A luz brilha do lado de fora, e assim é possível perceber a própria escuridão. Foi o que aconteceu.

Quando a Índia era rica, havia muito mais gente interessada em meditação. Na verdade, todos estavam interessados em meditação. Mais cedo ou mais tarde começavam a pensar nas estrelas, na vida após a morte, em seu próprio interior. Hoje é um país pobre, tão pobre que já não há mais contraste entre o mundo interior e o exterior. O mundo interior é pobre, o exterior também é pobre. Estão em perfeita harmonia nessa pobreza. Daí vem o aparente contentamento que se vê nas faces dos indianos, que não é um verdadeiro contentamento.

E por causa disso as pessoas se acostumaram com a idéia de que há algo de espiritualizado na pobreza.

A pobreza é venerada na Índia, e esta é uma das razões pelas quais eu sou condenado, pois não sou a favor de qualquer tipo de pobreza. Pobreza não é espiritualidade. Pobreza é a causa do desaparecimento da espiritualidade.

Gostaria que todo o mundo fosse tão rico quanto possível. Quanto mais ricas forem as pessoas, mas espiritualizadas elas se tornarão. Elas não têm outro caminho possível, não podem evitar isso. E somente então surge o verdadeiro contentamento.

Este contentamento surge quando há uma harmonia entre a criação de uma riqueza interior e a riqueza exterior que foi adquirida. Se houver harmonia apenas entre pobreza exterior e pobreza interior, o contentamento será falso. Em ambos os casos há uma perfeita harmonia, um contentamento, mas a harmonia que provém dessa dupla pobreza gera um contentamento feio, ao qual falta vida e vitalidade.

É certo, então, que o Ocidente se interesse cada vez mais pela meditação. É por isso também que o cristianismo está perdendo força no Ocidente, pois ele não desenvolveu de forma alguma a ciência da meditação.

O judaísmo, o cristianismo e o islamismo, as três religiões que não vieram da Índia, nasceram no tempo em que o Ocidente era pobre. Não podiam desenvolver técnicas de meditação, pois não havia necessidade para isso. Permaneceram como religiões dos pobres.

Agora que o Ocidente tornou-se rico, há uma disparidade. Essas religiões ocidentais, nascidas na pobreza, não têm o que oferecer para os homens ricos. A seus olhos parecem infantis, não são satisfatórias. Não podem satisfazê-lo. Mas as religiões orientais nasceram na riqueza, e por isso os ocidentais cada vez mais se interessam por elas. O budismo tem, hoje, uma grande influência, e o zen se espalha rapidamente. Por quê? Porque nasceram da riqueza.

Há uma enorme semelhança entre a psicologia atual dos ocidentais e a psicologia do budismo. O Ocidente se encontra agora no mesmo estado em que Buda estava quando se interessou pela meditação. Era a busca de um homem rico. O mesmo ocorre com o hinduísmo e com o jainismo – essas três grandes religiões da Índia nasceram da riqueza e abundância.

A Índia está perdendo o contato com suas próprias religiões. Não consegue mais entender Buda, pois agora é um país pobre. Pode parecer surpreendente, mas os indianos pobres estão se convertendo ao cristianismo. Enquanto os ocidentais estão se convertendo ao budismo, ao hinduísmo, ao vedanta, os intocáveis, as pessoas mais miseráveis da Índia, estão se tornando cristãos. O que quero dizer, portanto, é que essas religiões têm um apelo especial para os mais pobres. Mas não têm qualquer futuro, pois mais cedo ou mais tarde haverá riqueza em todo o mundo.

Não faço a apologia da pobreza, não respeito a pobreza. A humanidade tem o direito às duas riquezas: espiritual e material. A ciência desenvolveu a tecnologia para criar a riqueza material. E a religião desenvolveu a tecnologia para criar a riqueza espiritual: ioga, tantra, taoísmo, sufismo, hassidismo – essas são as tecnologias do eu interior.

O Oriente está vivendo em um estado de quase inconsciência. Está com fome demais para meditar, está pobre demais para rezar. Seu único interesse é em pão, abrigo, roupas. Quando os missionários cristãos chegam e abrem uma escola ou um hospital, os indianos ficam impressionados, dizem "isto é espiritualidade". Mas quando eu vou falar sobre meditação, não estão interessados, são contra isso: "que tipo de espiritualidade é esta?".

É preciso encontrar um equilíbrio. Eu defendo um mundo unido, único, no qual o Ocidente possa satisfazer as necessidades do Oriente e o Oriente possa satisfazer as necessidades do Ocidente. Ambos têm vivido separadamente por tempo demais, isso não é necessário. O Oriente não deve mais ser o Oriente e o Ocidente não deve mais ser o Ocidente. Chegamos ao momento crítico em que todo este planeta pode se tornar um só – ele deve se tornar um só – porque só assim poderá sobreviver.

O tempo das nações já se foi, o tempo das divisões terminou, o tempo dos políticos também. Estamos nos movendo em direção a um fantástico mundo novo, uma nova fase para a Humanidade, na qual haverá apenas um único mundo, uma única Humanidade. Neste momento haverá uma enorme liberação de energias.

O Oriente possui tesouros, as tecnologias religiosas. O Ocidente possui outros tesouros, as tecnologias científicas. Se os dois puderem unir-se, este mundo se tornará um paraíso. Não será preciso, então, esperar por um outro mundo: pela primeira vez somos capazes de criar o paraíso aqui, nesta Terra. E se não o fizermos, a culpa será única e exclusivamente nossa.

Defendo essa visão de um único mundo, uma só Humanidade e, no final das contas, uma ciência integrada que reunirá os dois aspectos. Será uma mistura de religião e ciência, uma ciência que poderá lidar com o interior e o exterior. É isto que estou tentando realizar em minha comunidade. É um local de encontro do Ocidente com o Oriente. É um útero no qual uma nova Humanidade pode ser concebida, de onde ela pode surgir.

CURANDO A DIVISÃO ENTRE CORPO E ALMA

NÃO SEPARO a existência nestas duas velhas dicotomias, o plano material e o plano espiritual. Há apenas uma única realidade: a matéria é sua forma visível e o espírito, sua forma invisível. O corpo não pode sobreviver sem a alma, e a alma não pode existir sem o corpo.

Na verdade, essa divisão entre corpo e alma, que vem do passado, criou um grande peso no coração dos homens. Criou uma esquizofrenia na humanidade. Em minha forma de pensar, a esquizofrenia não é uma doença que eventualmente se abate sobre uma pessoa. Toda a humanidade, até o momento, tem sido esquizofrênica. Muito raramente, apenas uma vez em centenas de anos, surge um homem como Jesus, ou Buda, ou Maavira, ou Sócrates, ou Pitágoras, ou Lao-tsé, que é capaz de escapar deste padrão esquizofrênico em que vivemos.

Dividir a realidade em duas partes opostas, antagônicas, é perigoso porque significa dividir também o homem. O homem é uma miniatura do Universo. Divida o Universo e o homem terá sido divido também. Divida o homem e o mesmo ocorrerá com o Universo. Eu acredito na unidade orgânica e indivisível da existência.

Para mim, não há distinção entre o plano espiritual e o material. Você pode ser espiritualizado e funcionar no plano material. Seu funcionamento será mais feliz, mais estético, mais sensível. Seu funcionamento no plano material não será tenso nem cheio de ansiedade e angústia.

Uma vez, um homem se aproximou de Buda e perguntou: "O mundo está tão cheio de desespero, as pessoas estão vivendo na miséria... Como você pode permanecer sentado em paz, silêncio e alegria?"

Buda respondeu: "Se uma pessoa está sofrendo, com febre, o médico deve deitar ao seu lado e sofrer também? O médico, por compaixão, precisa se deixar infectar, se deitar ao lado do paciente e ter febre? Isso irá ajudar o paciente? Antes, havia apenas uma pessoa doente, mas agora haverá duas – o mundo estará duplamente doente. O médico não precisa estar doente para ajudar o paciente, ele precisa estar saudável. Quanto mais saudável ele estiver, mais ele poderá ajudar."

Não sou contra trabalhar por um mundo melhor no plano material. Seja qual for o trabalho que você estiver realizando – trabalhando em prol do equilíbrio ecológico, contra a fome, contra a pobreza, contra a exploração, a miséria, a opressão –, seja qual for o seu trabalho no plano material, ele será enormemente beneficiado se você aprofundar suas raízes espirituais, tornar-se uma pessoa mais centrada, calma, introspectiva, porque então toda a qualidade de seu trabalho terá sido alterada. Você poderá pensar de forma mais interiorizada e seus gestos serão mais graciosos. A compreensão de seu ser interior irá ajudar muito outras pessoas.

Não sou um espiritualista, nem tampouco um materialista, no sentido tradicional dessas palavras. Charvaka, na Índia; Epicuro, na Grécia; Karl Marx e outros são todos materialistas. Dizem que apenas a matéria é verdadeira e que a consciência é um subproduto, que não possui realidade própria. E há pessoas como Shankara e Nagarjuna que dizem o mesmo, só que ao contrário. Dizem que a alma é real e o corpo, irreal, *maya*, ilusão, um subproduto, que não possui realidade própria.

Para mim, ambos estão metade certos e metade errados. E uma meia-verdade é muito mais perigosa do que uma mentira completa. Uma mentira completa é, ao menos, inteira, tem uma certa beleza, mas uma meia-verdade é feia e também perigosa. Feia porque é apenas metade de algo, como um homem que fosse dividido em duas partes. Dividir um homem é perigoso, porque ele é uma unidade orgânica. No entanto, fizeram isso através dos tempos, fazendo com que este pensamento se tornasse rotineiro, quase um condicionamento.

Não pertenço a nenhuma escola, nem à escola dos materialistas nem à escola dos assim chamados "espiritualistas". Minha abordagem é total, holística. Acredito que o homem é, ao mesmo tempo, material e espiritual. Na verdade, uso as palavras "espiritual" e "material" apenas porque sempre foram usadas. O homem é psicossomático, não-material e espiritual, porque este "e" cria uma dualidade. Não há um "e" entre o material e o espiritual, nem mesmo um hífen. Eu usaria apenas uma palavra e diria que o homem é "materialespiritual".

Espiritual significa o centro de seu ser, enquanto material é a circunferência de seu ser. A circunferência não pode existir sem o centro, assim como o centro não existe sem a circunferência.

Meu trabalho é o de ajudar seu centro a tornar-se claridade, pureza. Então essa pureza será refletida também na circunferência. Se o seu centro for belo, sua circunferência acabará se tornando bela e, se sua circunferência for bela, seu centro será afetado por essa beleza.

Há uma história que ilustra o que estou dizendo.

Dois místicos estavam conversando. O primeiro disse:

– Tive um discípulo uma vez, mas, apesar de todo o meu esforço, não consegui que ele atingisse a iluminação.

– O que você fez? – perguntou o outro.

– Fiz com que ele repetisse mantras, olhasse para símbolos, usasse vestimentas especiais, pulasse para cima e para baixo, inalasse incenso, lesse invocações e se mantivesse de pé durante longas vigílias.

– Ele não lhe disse nada que pudesse ajudá-lo a compreender por que nada disso estava aumentando o estado de consciência dele?

– Nada. Certo dia, apenas se deitou e morreu. A única coisa que ele disse foi irrelevante: "Quando é que vou poder *comer* algo?"

Claro que para uma pessoa espiritual é irrelevante falar sobre comida. O que isso tem a ver com o espírito?

Não sou esse tipo de pessoa espiritual. Sou tão hedonista quanto Carvaka, tão materialista quanto Epicuro, tão espiritual quanto Buda ou Maavira.

Sou o começo de uma visão totalmente nova.

MEDITAÇÃO É VIDA E NÃO MEIO DE VIDA

TODOS TÊM que fazer algo na vida. Uma pessoa será um carpinteiro, outra será um rei, outra um negociante, outra um guerreiro. Todas essas coisas são meios de vida, formas de ganhar o pão de cada dia, de obter um abrigo. Não importa se você for um guerreiro ou um negociante: são escolhas sobre como ganhar a vida, não podem mudar seu ser interior.

A meditação é vida e não meio de vida. Não tem nada a ver com o que você faz, mas tem tudo a ver com o que você é. Sim, é verdade que os negócios não devem penetrar em seu ser. Caso seu ser também fique preso aos negócios, será difícil meditar e impossível tornar-se um sannyasin, alguém que procura. Porque, caso seu ser tenha se tornado um executivo, uma pessoa de negócios, então você terá se tornado calculista demais. E uma pessoa calculista é necessariamente covarde: pensa demais, não pode arriscar saltos.

A meditação é um salto: da mente para o coração e, em última instância, do coração para o ser. Você irá cada vez mais fundo, lá onde os cálculos terão que ser deixados para trás, onde toda a lógica se tornará irrelevante. Não será possível levar sua esperteza para lá.

Na verdade, a esperteza não é a verdadeira inteligência. A esperteza é um substituto pobre para a inteligência. As pessoas que não são inteligentes aprendem a ser espertas. Pessoas inteligentes de fato não precisam ser espertas: são inocentes, não precisam ser astuciosas. Funcionam a partir de um estado de não-saber.

Se você é um negociante, não há nada de errado nisso. Jesus era filho de um carpinteiro, ajudava seu pai trazendo e cortando madeira. Ele pôde se tornar um meditador e um *sannyasin* – e, no final das contas, se tornar um Cristo, um Buda. Se o filho de um carpinteiro pode tornar-se um Buda, por que você também não pode?

Kabir era um tecelão. Trabalhou durante toda a vida. Mesmo depois de ter atingido a iluminação, continuava a tecer, pois gostava muito de fazer isso. Muitas vezes seus discípulos pediam, insistentemente, com lágrimas nos olhos, que ele não trabalhasse mais: "Você não precisa mais fazer isso. Nós estamos aqui para cuidar de você. Há tantos discípulos, e você continua a tecer, mesmo já sendo velho."

E Kabir respondia: "Mas vocês sabem para quem eu estou tecendo? Para Deus! Agora todas as pessoas são um deus para mim. Esta é minha forma de rezar."

Se Kabir pôde se tornar um Buda e ainda assim permanecer tecendo, por que você não pode fazer o mesmo?

Mas os negócios não devem entrar em seu ser. Os negócios devem ser algo externo, seu meio de ganhar a vida. Quando você fechar sua loja ou sair de seu escritório, esqueça seus negócios. Não leve a loja ou o escritório para casa com você.

Quando estiver em casa, com sua mulher, seus filhos, não seja um homem de negócios. Isso é feio: significa que seu ser está sendo contaminado pelo que você está fazendo. O *fazer* é sempre algo superficial. O ser deve permanecer transcendental em relação a seu fazer e você deveria ser sempre capaz de colocar seu fazer de lado e entrar no mundo de seu ser. É sobre isso que a meditação diz respeito.

Há certas mentes que funcionam permanentemente como se estivessem fazendo negócios. Em todas as dimensões de suas vidas, essas pessoas são pessoas de negócios. Se você for esse tipo de pessoa, aqui não é o seu lugar.

Aqui é o lugar para os que estão dispostos a apostar. É o lugar para as pessoas que podem arriscar tudo por nada.

Exatamente isso, tudo por nada, porque a meditação levará você a um estado de completo vazio. Mas aqueles que chegarem ao vazio da meditação imediatamente perceberão que também atingiram a completude de Deus. O vazio de si mesmo é a completude de Deus, este é seu outro aspecto. Você se torna nada e subitamente uma grande plenitude desce sobre você – você está transbordante, preenchido por Deus. Ao tornar-se vazio, *você* se torna espaçoso, torna-se um hóspede para o grande visitante.

Mas se você ficar calculando o tempo todo, movendo-se cuidadosamente, não poderá tornar-se nada. Como deixar de lado tudo em troca de nada?

Então o que eu ensino não é para você. Vá procurar um desses pseudoprofessores velhos e tradicionais. Eles irão consolá-lo. Irão lhe dizer que você pode continuar sendo um homem de negócios e ainda assim abrir uma conta bancária no paraíso. Seja caridoso: faça doações para os pobres, para o templo, para a igreja ou sinagoga, para o hospital, para a escola. Dizem que você será recompensado mais tarde, após sua morte. Basta praticar a caridade. Se você explora o trabalho de outras pessoas, pode sempre lhes dar uma parte de volta, pode dar um pouco de seu dinheiro para instituições beneficentes. Essas são as formas de consolação. E haverá um lugar reservado para você no paraíso.

Não seja tolo! O paraíso não sai assim tão barato. Aliás, não há paraíso em lugar algum, é algo que está dentro de você mesmo. E nenhuma caridade poderá levar você até lá. Mas é possível atingir esse lugar se toda sua vida se tornar caridosa, o que é algo totalmente diferente. Se você chegar lá, toda sua vida se tornará compaixão.

Continue sendo uma pessoa de negócios, mas esqueça-se disso por algumas horas. Não quero que você fuja de sua vida cotidiana. Estou aqui para lhe falar sobre os caminhos, as formas, a alquimia que lhe permitam transformar o ordinário no extraordinário. Seja uma pessoa de negócios no escritório, mas não em casa. E, de quando em quando, se esqueça por algumas horas até mesmo da casa, da família, do cônjuge, das crianças. Fique sozinho consigo mesmo. Mergulhe cada vez mais fundo em seu ser. Divirta-se consigo mesmo, ame a si mesmo.

Então, aos poucos, você perceberá que uma grande alegria

está crescendo, sem nenhuma causa externa. Isto é seu próprio ser, seu próprio florescer. Isto é meditação. Sente-se em silêncio, sem fazer nada, e espere a primavera. Ela sempre vem e, quando chegar, a grama crescerá sozinha. Você verá essa grande alegria crescendo em você sem qualquer motivo. Divida essa alegria, espalhe-a para os que estão a seu redor. Nesse momento, sua caridade estará dentro de você. Não será apenas uma forma de atingir um objetivo, ela terá um valor intrínseco.

Uma vez que você tenha se tornado um meditador, *sannyas* não está muito longe! Meu *sannyas*, em particular, não é nada além de viver no mundo comum, mas viver de tal forma que não me sinta possuído por ele. Permanecer transcendental, permanecer no mundo, mas um pouco acima dele. Isso é *sannyas*.

Não é *sannyas* à moda antiga, na qual você tinha que fugir de sua família, de seus filhos e seus negócios, ir para o Himalaia. Isso nunca funcionou bem. Muitos foram morar nas montanhas, mas carregaram consigo suas mentes estúpidas. O Himalaia não pôde ajudá-los muito – pelo contrário, eles nada mais fizeram senão destruir sua beleza. Em que o Himalaia pode ajudá-lo?

Você pode deixar o mundo, mas não pode deixar sua mente aqui. A mente irá com você, ela está dentro de você. E onde quer que você esteja, essa mesma mente irá criar o mesmo tipo de mundo ao redor de você.

Um grande místico estava morrendo. Ele chamou seu principal discípulo. O discípulo ficou muito feliz ao ver que seu mestre o chamava, pois ele havia sido escolhido entre uma multidão de pessoas. Provavelmente o mestre iria transmitir algum grande segredo que não havia contado para ninguém até agora. "Esta é a forma pela qual ele está me escolhendo como seu sucessor!", pensou o discípulo, enquanto se aproximava.

O místico disse: "Tenho apenas uma coisa a lhe dizer. Eu não fui capaz de ouvir meu mestre, que me disse esta mesma coisa ao morrer. Eu era tolo e não ouvi, nem mesmo pude entender o que ele queria dizer. Mas estou lhe falando, com toda minha experiência, que ele está certo, apesar de eu ter achado absurdo quando ele me contou."

O discípulo perguntou: "O que é? Por favor, me conte! Tentarei seguir cada uma de suas palavras."

O mestre então disse: "É algo muito simples: nunca, em momento algum de sua vida, tenha um gato em sua casa!" E antes que o discípulo pudesse perguntar por que, o mestre morreu!

Agora ele se sentia desorientado – que frase idiota! E a quem ele iria perguntar o que aquilo queria dizer? Foi procurar as pessoas mais velhas do vilarejo. "Há algum sentido nessa mensagem? Deve haver algum sentido misterioso oculto aqui!"

Um dos anciãos falou: "Sim, eu sei por que o mestre de seu mestre disse o mesmo para ele: 'Nunca, jamais, tenha um gato em sua casa.' Mas ele não ouviu. Eu sei toda a história."

O discípulo pediu que o ancião lhe contasse tudo para que ele pudesse entender o significado do que o mestre lhe dissera.

O ancião riu. Disse: "É algo muito simples, não há nada de absurdo aí. O mestre de seu mestre deixou para ele uma grande mensagem, mas seu mestre nunca se perguntou: 'Qual o sentido disso?' Ao menos você foi inteligente o bastante para indagar a respeito. Seu mestre era jovem quando essa mensagem lhe foi transmitida. Ele costumava viver na floresta e possuía apenas duas roupas, nada mais. E o pior é que freqüentemente suas roupas eram destruídas pelos ratos que entravam em sua casa, e ele era obrigado a pedir novas peças às pessoas do vilarejo.

Um dia, um habitante do vilarejo disse: 'Por que você não tem um gato? Se você tiver um gato, ele comerá os ratos e não haverá problemas. Do contrário, como nós, que somos pessoas pobres, faremos para lhe dar roupas novas todos os meses?'

Parecia bastante lógico, então ele pediu que alguém lhe desse um gato. Levou o gato para casa, mas aí começaram os problemas. O gato obviamente salvou as roupas, mas o gato precisava de leite, porque depois que ele comeu os ratos não havia mais o que comer. E o pobre homem não podia meditar, porque o gato estava sempre miando e gemendo e dando voltas a seu redor.

Ele retornou ao vilarejo e falou com algumas pessoas, que lhe disseram: 'Esta é uma situação difícil. Agora teremos que lhe fornecer leite diariamente. Em vez disso, podemos lhe dar uma vaca. Assim a situação estará resolvida, você fica com a vaca. Você pode beber o leite e seu gato também. Assim você também não precisará mais nos pedir comida diariamente.'

A idéia parecia ótima. Ele levou a vaca... e o mundo começou. É assim que o mundo começa. A vaca precisa de grama, e as pessoas disseram: 'No próximo feriado, nós limparemos uma área na floresta e prepararemos a terra. Você irá plantar um pouco de trigo e algumas outras coisas, e deixará uma parte para a grama.'

E os habitantes do vilarejo fizeram o que haviam prometido: limparam a floresta, araram o solo, plantaram trigo. Mas agora havia outro problema: era necessário irrigar a terra, cuidar da plantação. E o pobre homem gastava todo o seu dia com isso. Não havia mais tempo para ler as escrituras, nem para meditar.

Mais uma vez ele retornou ao vilarejo e disse: 'Meus problemas só estão piorando! Agora o problema é que não há mais tempo para meditar!'

Eles responderam: 'Espere um pouco. Uma mulher acaba de ficar viúva, ela é jovem e temos medo que ela seja uma tentação para os jovens de nosso vilarejo. Por favor, leve-a com você. Ela é saudável, pode tomar conta de sua terra, da vaca, do gato, e irá preparar sua comida. Ela também é muito religiosa. E não se preocupe, ela não irá perturbá-lo."

Assim as coisas se encaminharam para sua conclusão lógica. Veja o quanto o homem já havia se afastado de seu caminho desde que recebera o gato...

A mulher foi morar com ele e cuidar dele. Durante alguns dias, ele se sentiu muito feliz. Ela massageava seus pés e... aos poucos o que tinha que acontecer aconteceu: eles se casaram. E quando você se casa, na Índia, tem ao menos uns doze filhos. No mínimo! Então toda a meditação se foi.

Ele se lembrou disso apenas quando estava morrendo. Lembrou-se outra vez que, quando *seu* mestre estava morrendo, havia dito a ele para tomar cuidado com os gatos. Foi por isso que ele lhe disse isso. "Agora é sua vez de tomar cuidado com os gatos. Basta um pequeno passo na direção errada e você estará seguindo o caminho errado. E sua mente estará com você, aonde quer que você vá."

Uma vez estive no Himalaia. Estava em uma região deserta do Himalaia com dois amigos. Entramos em uma caverna deserta. Era tão bonita que passamos a noite lá. Na manhã seguinte veio um monge e disse: "Saiam, esta é a *minha* caverna!"

Eu disse a ele: "Como é possível que esta caverna seja sua? Você não vê que é uma caverna natural? Você não pode tomar posse dela, você não a construiu. E você renunciou ao mundo, à sua casa, à sua família, aos seus filhos, seu dinheiro e tudo mais, e agora está dizendo que esta é *sua* caverna e que nós devemos sair? Esta caverna não pertence a ninguém!"

Ele estava muito irritado. Disse: "Vocês não me conhecem! Sou um homem perigoso! Não vou deixar a caverna para vocês. Tenho vivido nela durante os últimos treze anos!"

Nós o provocamos o máximo que pudemos, ele estava cheio de ira, pronto para matar! Então me virei e disse: "Está bem. Nós vamos embora. Estávamos apenas provocando você para lhe mostrar que treze anos se passaram, mas sua mente continua a mesma. Agora esta caverna é *sua*, porque você morou aqui durante treze anos. Você não a trouxe consigo quando nasceu e não a levará quando morrer. E nós não ficaremos aqui para sempre, apenas por uma noite. Somos apenas viajantes, não monges. Vim apenas ver quantas pessoas estúpidas vivem nessa parte do mundo, e você parece ser a mais estúpida de todas."

Você pode deixar o mundo... mas será o mesmo. Você irá recriar o mesmo mundo, porque estará levando a planta em sua mente. Não se trata de deixar o mundo, a questão é mudar a mente, renunciar à mente. É isso que a meditação é.

O CONTENTAMENTO É O OBJETIVO, A MEDITAÇÃO É O MEIO

O CONTENTAMENTO é o objetivo da vida, e a meditação é o meio para atingi-lo. Sem a meditação, ninguém nunca saberia verdadeiramente o que é contentamento. Não é prazer. Prazer é fisiológico, químico. Não possui profundidade e é muito momentâneo. Por exemplo, um orgasmo sexual é prazer. Durante alguns instantes você está no topo do mundo, mas apenas naquele curto período de tempo. Logo em seguida vem uma profunda tristeza e uma depressão se instala. É por isso que, após fazer amor, as pessoas dormem. É uma forma de evitar a tristeza.

Para garantir a reprodução das espécies, a natureza encontra maneiras espertas de fazer com que certas coisas aconteçam. Se não fosse pelo prazer, a atividade sexual pareceria tola. Seria como fazer ginástica ou ioga. Por conta do prazer, as pessoas estão dispostas a fazer várias coisas idiotas. Mas é apenas um fenômeno químico, hormonal, psicológico. Não pode ser mais profundo que isso, pois a fisiologia não é profunda.

Contentamento não é nem mesmo alegria. O que chamamos de alegria é psicológico. Sempre que você encontra um momento de exaltação e entusiasmo, seu ego fica preenchido e você se sente alegre. Quando obtém uma vitória pessoal, é eleito ou ganha alguma competição, se sente alegre, pois você derrotou os adversários, obteve sucesso, fama, dinheiro, glória. Mas logo se cansará disso tudo. Apenas as pessoas bem-sucedidas sabem quão cansativo é o sucesso. Apenas as pessoas ricas sabem quão profundamente desapontadas estão. Mas elas nem mesmo podem dizer isso, porque pareceria ainda mais tolo, as pessoas iriam rir. Elas desperdiçaram suas vidas acumulando riquezas e agora dizem que isso foi uma má idéia.

Sempre que seu ego estiver preenchido, você se sentirá feliz. Mas contentamento é um outro fenômeno, completamente diferente. Não pode ser prazer, pois não é fisiológico. Não pode ser alegria, pois não há preenchimento do ego. Pelo contrário, é a dissolução do ego, é a dissolução de sua entidade. Meditação é isso: a junção, a dissolução em meio ao todo, esquecendo completamente que você é algo separado, lembrando apenas de sua unidade com o todo. É por isso que Gurdjieff costumava chamar seu processo de meditação de "autolembrança". Buda chamava sua meditação de "lembrança correta".

Somos um só com o todo, ainda que pensemos que estamos separados dele. Somos inseparáveis. Não podemos nos separar simplesmente porque pensamos que estamos separados. Basta lembrar. Basta deixar para trás essa falsa noção de que somos separados.

Nesses raros momentos em que você deixar de lado seu ego, sua personalidade, seu complexo mente-corpo, para tornar-se apenas um observador, uma testemunha, uma consciência, você descobrirá a meditação.

Com isso, você sentirá um grande contentamento, vindo de todas as direções, de todas as dimensões. Todo seu vazio interior será imediatamente preenchido. Ele se tornará um lago de contentamento. Este é o objetivo, e o método e a forma de atingi-lo são a meditação. Não há alternativa.

Portanto, é preciso aprender a assimilar o espírito da meditação. Não importa quanto tempo irá levar, qual será o preço, é preciso estar pronto. Uma vez que você esteja pronto, não será difícil. É esse estado de espírito que faz com que você se torne merecedor desse enorme contentamento, e as coisas passam a ser bem simples então.

TODOS JÁ NASCEMOS MÍSTICOS

UM AMIGO me disse uma vez: "A meditação é para místicos. Por que, então, você propõe sua prática para pessoas comuns?" Primeiro, queria dizer que nunca encontrei uma pessoa comum. Isso não existe, é algo criado por pessoas egoístas. Um egoísta precisa criar coisas comuns, essa é a única forma através da qual seu ego pode existir. Nenhum ser humano é comum, pois cada um de nós é sempre absolutamente único. Cada ser humano é criado por Deus. Como, então, poderia ser comum? Deus nunca cria nada comum. Tudo em sua criação é raro. Cada indivíduo é tão único que nunca se repetirá. Você nunca foi antes, nunca será depois. Não é possível encontrar ninguém exatamente igual a você.

Ainda assim, a meditação seria "para místicos". É verdade, trata-se de algo para místicos, mas nós já nascemos místicos, pois cada um de nós carrega consigo um grande mistério que precisa ser compreendido, cada um de nós possui um grande potencial que precisa ser desenvolvido. Todos nascem com um futuro. Todos têm esperança.

Qual o sentido, então, quando se fala em "ser um místico"? Um místico é alguém que está tentando desvendar os mistérios da vida, que está se movendo rumo ao desconhecido, que está explorando novos territórios, cuja vida é de exploração, de aventuras.

E é assim que começa a vida de toda criança. Com admiração, assombro, com muitas perguntas em seu coração. Cada criança é um místico. Mais tarde, em algum momento dentro do suposto processo de "crescimento", você perde o contato com sua possibilidade interna de ser místico e torna-se negociante, ou balconista, ou cobrador, ou ainda padre. Você se torna outra coisa. E começa a pensar que você é esta outra coisa. E quando realmente acreditar nisso, então assim será de fato.

Estou me esforçando, aqui, para destruir suas noções errôneas sobre si mesmo e para liberar o misticismo que há em você. Meditação é um caminho para liberar o misticismo e serve para qualquer um, sem exceção.

"A meditação é para místicos. Por que, então, você propõe sua prática para pessoas comuns e para os filhos dessas pessoas?" Ninguém é comum, e as crianças são as mais capazes de aprender. São místicos naturais. E antes que sejam destruídos pela sociedade, antes que sejam destruídos por outras pessoas condicionadas, corrompidas, o melhor a fazer é ensinar a elas algumas coisas sobre meditação.

Meditação não é um condicionamento, porque não é uma doutrina. Meditação significa não ter um credo. Se você educa uma criança para ser cristã, estará transmitindo uma doutrina para ela. Estará forçando-a a acreditar em coisas que parecem absurdas. Você precisa dizer à criança que Jesus nasceu de uma mãe virgem, isso se torna um preceito básico. Nesse momento, você está destruindo a inteligência natural da criança. Se ela não acreditar em você, você ficará zangado e, sendo mais forte, poderá punir a criança. Se ela acreditar em você, estará indo contra sua inteligência intrínseca. O que você diz parece absurdo para a criança, mas ela precisa concordar com você. E, uma vez tendo concordado, começa a perder sua inteligência, começa a ficar mais burra.

Se você ensinar uma criança a seguir os preceitos do islamismo, novamente você terá que lhe ensinar mil e um absurdos. O mesmo ocorre com o hinduísmo e todos os outros tipos de crenças, dogmas. Mas se você ensinar uma criança a meditar, não será uma doutrinação. Você não diz que ela precisa acreditar em nada, está apenas convidando-a para uma experiência de não-pensamento. O não-pensamento não é uma doutrina, é uma experiência.

As crianças acabaram de vir do outro mundo, estavam próximas a Deus! Ainda lembram algo desse mistério, não o esqueceram completamente. Em algum momento irão esquecer, mas ainda têm a fragrância a seu redor. É por isso que todas as crianças parecem tão belas, tão graciosas. Você já viu alguma criança feia?

Mais tarde, na vida, é difícil encontrar pessoas belas. O que acontece com essa beleza? Como ela desaparece? Que calamidade acontece durante o processo de crescimento que torna as pessoas feias?

Elas começam a perder sua graciosidade no dia em que começam a perder sua inteligência. Começam a perder seu ritmo natural, sua elegância natural, e começam a aprender comportamentos plastificados. Não podem mais rir, chorar ou dançar espontaneamente. São forçadas para dentro de uma gaiola, uma camisa-de-força. São aprisionadas. As correntes que as prendem são sutis e não muito fáceis de perceber. São correntes feitas de pensamento – cristianismo, hinduísmo, islamismo. As crianças foram acorrentadas, mas não podem ver as correntes, então não podem lidar com elas. E sofrerão durante toda sua vida. É uma prisão e tanto. Não é como colocar uma pessoa na cadeia, mas sim criar uma cadeia ao redor da pessoa. Aonde quer que ela vá, a cadeia estará junto. Ela pode ir até o Himalaia, sentar-se em uma caverna, ainda assim será um hindu, um cristão. E continuará com seus pensamentos.

A meditação é uma forma de se aprofundar em si mesmo até o ponto em que não há mais pensamentos. Por isso, não é uma doutrinação. Na verdade, não está ensinando nada a você, apenas está tornando você mais alerta para sua própria capacidade interna de ser sem pensar, de ser longe da mente. E o melhor momento é quando a criança ainda não foi corrompida.

A MENTE É TAGARELA

QUANDO UMA criança nasce ela não tem uma mente. Não há tagarelice dentro dela. Leva de três a quatro anos para que a mente, que é apenas um biocomputador, comece a funcionar. A mente precisa ser alimentada com informações. É por isso que, se você tentar voltar no tempo através da memória, irá parar em algum momento em torno dos três ou quatro anos. Antes disso, está tudo em branco. Você estava lá, com certeza, e várias coisas aconteceram, vários incidentes, mas aparentemente os registros não foram gravados na memória, por isso você não pode se lembrar. A partir dos três ou quatro anos, contudo, as coisas começam a ficar mais claras.

A mente obtém seus dados dos pais, da escola, de outras crianças, de vizinhos, de parentes, da sociedade como um todo. Há fontes em toda parte a seu redor. E você já deve ter visto crianças pequenas, quando começam a falar, repetindo várias vezes a mesma palavra. Quanta felicidade! Um novo mecanismo começou a funcionar dentro delas.

Quando elas puderem formular frases, irão fazê-lo com grande alegria também, repetindo-as várias vezes. Quando começarem a fazer perguntas, farão perguntas sobre tudo e mais um pouco. Note que elas não estão interessadas em suas respostas! Observe uma criança fazendo perguntas: ela está apenas se divertindo com o fato de poder fazer perguntas. Uma nova faculdade veio à tona dentro dela.

É assim que a coleção começa. Depois a criança aprenderá a ler, e haverá mais palavras. E, em nossa sociedade, o silêncio não traz recompensas. As palavras pagam, por isso, quanto mais articulado você for, mais você irá ganhar.

Quem são seus líderes? Quem são seus políticos? Quem são seus professores? Quem são seus padres, teólogos, filósofos? Condensados em uma única coisa, são pessoas muito articuladas. Sabem como usar as palavras de forma significativa, pungente, consistente, de forma que possam impressionar as pessoas.

Poucas vezes se fala a respeito do fato de nossa sociedade ser dominada por pessoas verbalmente articuladas. Algumas delas talvez não saibam nada: podem não ser sábias, podem não ser nem mesmo inteligentes, mas certamente sabem brincar com as palavras. É um jogo, e elas aprenderam a jogá-lo. O pagamento é feito de várias formas, com respeito, dinheiro ou poder. Todos tentam seguir o mesmo caminho, e a mente fica cheia de palavras e pensamentos.

Você pode ligar ou desligar seu computador, mas não pode desligar sua mente. Não há um botão para isso. Não há qualquer referência de que Deus, ao criar o mundo, ao criar o homem, tenha feito um botão para a mente de forma que fosse possível desligá-la. Sem botão, portanto, ela permanece ativa, do nascimento até a morte.

Algumas pessoas que compreendem o funcionamento dos computadores e da mente humana defendem uma tese muito estranha. Elas especulam que, se pudéssemos remover o cérebro de dentro da caixa craniana e mantê-lo vivo mecanicamente, ele continuaria tagarelando da mesma forma.

O cérebro não se importaria com o fato de não estar mais conectado à pessoa que sofria com ele. Mesmo conectado a uma máquina, ainda sonharia, imaginaria, sentiria medo, faria projetos, teria esperanças, tentaria ser isso ou aquilo. E não teria a menor noção de que já não poderia fazer nada, pois a pessoa à qual ele estava ligado não estava mais lá.

Na comunidade científica há quem considere um grande desperdício que a mente de um homem como Albert Einstein morra com ele. Se fosse possível implantar esse cérebro em outra pessoa, ela continuaria pensando a respeito da teoria da relatividade. E quem recebesse esse novo cérebro acordaria com os novos pensamentos e a nova tagarelice sem suspeitar do que aconteceu.

Essa tagarelice é nossa educação, e basicamente está errada porque ensina a você apenas metade do processo: como usar a mente. Não lhe ensina uma forma de pará-la a fim de que você possa relaxar, pois, mesmo quando você está dormindo, ela continua ativa. A mente não dorme. Trabalha durante setenta, oitenta anos, continuamente.

O que estou tentando deixar claro é que, se pudermos nos educar, então há uma saída. Chama-se meditação. É possível colocar um botão na mente e desligá-la quando não é necessária. Isso ajuda de duas formas: irá lhe trazer uma paz e um silêncio que você nunca conheceu antes, e irá lhe dar um conhecimento sobre si mesmo que, devido à tagarelice da mente, nunca foi possível atingir. Ela sempre o manteve ocupado. Além disso, trará repouso à própria mente. E se pudermos dar descanso à mente, ela poderá fazer as coisas de forma mais eficiente, mais inteligente.

Você sai ganhando dos dois lados: tanto do lado da mente, quanto do lado do ser. Basta aprender a fazer a mente parar, a dizer para ela que basta, é hora de ela dormir enquanto você permanece acordado. Use a mente apenas quando necessário, e ela estará sempre fresca, jovem, cheia de energia. Tudo que você disser será algo mais do que palavras vazias, estará cheio de vida, de autoridade, de verdade, sinceridade, e terá grande sentido. Talvez você use exatamente as mesmas palavras, mas a mente terá adquirido tanto poder, ao descansar, que cada palavra se tornará fogo e terá poder.

Aquilo que conhecemos como carisma é simplesmente uma mente que sabe relaxar e coletar energia, por isso quando ela fala é poesia pura, é divino. Quando fala, não é necessário fornecer evidências ou demonstrar a lógica – apenas sua própria energia é suficiente para influenciar as pessoas.

Talvez, pela primeira vez, eu esteja dizendo a você o que é o carisma, porque sei por experiência própria. Uma mente que trabalha dia e noite acaba se tornando fraca e sem brilho. Na melhor das hipóteses, consegue ser utilitária: você vai comprar vegetais, isso é útil. Mas não há poder nessa mente cansada para nada além disso. Sendo assim, milhões de pessoas que poderiam ser carismáticas continuam pobres, banais, sem qualquer autoridade ou poder.

Se for possível – e eu afirmo que de fato é – colocar a mente em silêncio e usá-la apenas quando necessário, então ela estará presente com uma enorme força. Terá reunido tanta energia que cada palavra proferida irá diretamente para seu coração. As pessoas pensam que as mentes das personalidades carismáticas são hipnóticas, mas não é verdade. O que elas têm é um poder, um frescor... Para elas, é sempre primavera.

Essa é a parte que diz respeito à mente. No que diz respeito ao ser, o silêncio abre um novo universo de eternidade, de imortalidade, de tudo aquilo que você pode pensar como sendo uma bênção, uma graça. Por isso é que insisto em dizer que a meditação é a religião essencial, a única religião. Nada mais é necessário. Todo o resto consiste em rituais que não são essenciais.

A meditação é a essência pura. Não é possível remover nada dela. Ela lhe traz o melhor dos dois mundos. Ela lhe dá o outro mundo – o divino – e lhe dá também esse mundo terreno. Através da meditação, você não é mais pobre: tem uma riqueza enorme, que não é feita de dinheiro.

Há muitos tipos de riqueza, e o homem que é rico por causa do dinheiro está no ponto mais baixo da escala, se falarmos em termos das categorias de riqueza. Deixe-me colocar as coisas dessa forma: um milionário é o mais pobre dos homens ricos. Quando observado do ponto de vista dos pobres, ele é o mais rico dos homens pobres. Mas, quando observado do ponto de vista de um artista criativo, de um dançarino, de um músico, de um cientista, ele é o mais pobre dos homens ricos. E, no que diz respeito ao mundo dos iluminados, ele nem mesmo pode ser chamado de rico.

A meditação, no final das contas, irá torná-lo rico, de forma absoluta, ao lhe dar o mundo de seu ser interior, e também rico, de forma relativa, pois irá libertar os poderes da mente para qualquer talento que você possa ter. Minha própria experiência mostra que todos nasceram com algum dom e, a menos que esse talento seja vivenciado ao máximo, algo ficará faltando nessa vida. A pessoa continuará sentindo que, de alguma forma, algo que deveria estar presente não está.

Dê um descanso à sua mente – ela precisa disso! E é tão simples: basta colocar-se de fora, tornar-se uma testemunha. Lentamente, aos poucos, a mente aprenderá a ficar em silêncio. Uma vez que a mente tenha aprendido que o silêncio a torna mais forte, suas palavras não mais serão meras palavras. Terão um valor, uma riqueza e uma qualidade que nunca antes tiveram. Serão diretas como uma flecha. Ultrapassarão as barreiras da lógica e irão direto ao coração.

Nesse momento, a mente será uma boa serva, com enorme poder, nas mãos do silêncio. Nesse momento, o ser será o mestre, e o mestre poderá usar a mente quando for necessária e desligá-la quando não for.

A MENTE É UM FENÔMENO SOCIAL

A MENTE só pode existir em sociedade. Ela é um fenômeno social, pois necessita da presença de outras pessoas. Você não pode sentir raiva quando está sozinho ou, se isso acontecer, se sentirá tolo. Você não pode ficar triste quando está sozinho, pois não há desculpa para tal. Também não pode se tornar violento, é necessário que haja mais alguém por perto. Você não pode falar, não pode continuar tagarelando. Não pode usar a mente, ela não pode funcionar – e quando a mente não pode funcionar, ela se torna ansiosa e preocupada. Ela precisa funcionar, precisa de alguém com quem se comunicar.

A mente é um fenômeno social, um subproduto da sociedade. Não apenas da sociedade moderna, mas de qualquer sociedade. Mesmo nos tempos ancestrais, quando alguém ia caçar sozinho na floresta, essa pessoa ficava ansiosa, ficava deprimida no começo. A diferença não está na mente, a diferença está no grau de paciência. A mente permanece a mesma, seja ela moderna ou antiga, mas nos velhos tempos as pessoas eram mais pacientes, podiam esperar. Hoje você não sabe mais ser paciente, e aí está o problema.

Nos velhos tempos, no mundo antigo – especialmente no Oriente –, não havia consciência do tempo. É por isso que os relógios não foram inventados no Oriente. Poderiam ter sido inventados na China, talvez, mas eles não estavam interessados no tempo. A mente moderna se interessa em demasia pelo tempo. Por quê? Isto é parte da influência cristã no mundo. Com o cristianismo e o islamismo, a consciência do tempo passou a fazer parte do mundo. Há razões para tal.

No pensamento cristão, acredita-se que haja apenas uma vida. É a primeira e a última. Se você morrer, não terá mais tempo, então todo o tempo que você tem são setenta ou oitenta anos, talvez. Por isso há tanta pressa no Ocidente. Todos correm porque a vida está se esvaindo. A cada momento seu tempo de vida restante diminui. O tempo está passando e você está morrendo. Tantos desejos para realizar e tão pouco tempo para realizá-los, isso obviamente gera ansiedade.

No Oriente, por outro lado, sempre se acreditou que a vida seja eterna. Assim sendo, o tempo não importa, não há pressa, pois você passará por aqui muitas vezes. Já esteve aqui milhões de vezes e voltará milhões de outras vezes. Esta não é a primeira nem a última vida, apenas mais uma dentro de uma longa cadeia, e você está sempre no meio, pois não há início nem final. Por que, então, ter pressa? Há tempo suficiente para tudo.

Em uma das escrituras tibetanas está escrito que, mesmo se você tiver que correr, deve fazê-lo devagar. Se você correr, jamais atingirá lugar algum. Perceba o aparente paradoxo:

sente-se e você atingirá seu objetivo, mas, se correr, não chegará a lugar algum. Nessa cadeia eterna, de milhões de vidas, há sempre tempo suficiente. A paciência, então, se torna possível. Mas no Ocidente, como há apenas uma vida, a cada momento um pouco dessa vida vai se transformando em morte. Há uma perda constante, nada é realizado, nenhum desejo é satisfeito, tudo está incompleto... Como você pode ser paciente? Como esperar? Tornou-se impossível esperar. Com essa idéia de uma única vida, junto com outra idéia, a do tempo linear, o pensamento cristão criou uma forte ansiedade dentro da mente. E agora esse pensamento tornou-se uma influência global.

O pensamento cristão diz que o tempo não se move em círculos, mas sim em linha reta. Nada se repetirá, então tudo é único. Todo e qualquer evento irá ocorrer uma única vez em toda a eternidade, não se repetirá jamais. Não é um círculo, não é como uma roda em movimento, na qual um aro irá girar várias vezes.

No Oriente, o tempo é um conceito circular, como as estações se movendo em um círculo. Se o verão chega agora, então chegará sempre. Sempre foi assim e assim será para sempre.

Este conceito oriental está mais próximo da verdade: a Terra se move em um círculo, o Sol se move em um círculo, as estrelas se movem em um círculo e a vida também. Todo movimento é circular, e o tempo não pode ser uma exceção: se o tempo se mover, irá fazê-lo de forma circular. O conceito linear de tempo está absolutamente errado.

É por isso que, no Oriente, nunca nos interessamos muito por História. Estivemos interessados pelos mitos, mas não pela História. Foi o Ocidente que introduziu a História no mundo. É por isso que Jesus tornou-se o centro da História, o início do calendário. Medimos o tempo com a idéia de "antes de Cristo" e "depois de Cristo". Cristo tornou-se o centro de toda a História, a primeira pessoa histórica.

Buda não é histórico, nem Krishna. Não é possível ter certeza sobre o nascimento de Krishna, se ele existiu de fato ou não, se foi apenas uma história ou se houve fatos históricos. Ninguém nunca se preocupou com isso no Oriente.

Dizem simplesmente que todas as coisas são histórias, que já foram contadas muitas vezes e serão contadas de novo. Não é preciso, então, preocupar-se com os fatos, pois os fatos são repetitivos. É melhor preocupar-se com o tema. Caso contrário, coisas importantes podem passar despercebidas.

Diz-se que, antes do nascimento de Rama, um dos avatares da Índia, Valmiki, escreveu sua história. Antes mesmo que ele nascesse? Isso é impossível! Como alguém pode escrever sobre alguém que ainda não nasceu? Mas Valmiki escreveu primeiro, então Rama teve que seguir essa história, fosse como fosse. Como isso aconteceu? Parece um mistério, mas não é, se olharmos o tempo do ponto de vista oriental.

Valmiki disse: "Conheço Rama, porque ele já nasceu antes em muitas eras. Vou criar a história, pois já conheço o tema, aquilo que é essencial. Irei colocar o que não for essencial na história."

E Rama deve ter pensado: "Por que contradizer Valmiki? Por que ir contra o que esse velho homem disse? Vou seguir o que está escrito." E assim o fez.

O Oriente vive imerso em mitos. Um mito significa um tema repetitivo, o essencial está sempre presente. No Ocidente os mitos não têm sentido. Se você puder provar que alguma coisa é mitológica, ela perde seu sentido. É preciso provar sempre que foram fatos históricos, que aconteceram dentro do tempo. É necessário ser absolutamente preciso. Como eu disse antes, este conceito linear de uma vida única cria ansiedade. Por isso, quando você fica em silêncio, sozinho, fica preocupado. Uma coisa é certa para você: o tempo está sendo desperdiçado. Você não está fazendo nada, está apenas sentado. Por que você está desperdiçando sua vida? E este tempo não pode ser recuperado, porque no Ocidente se ensina que "tempo é dinheiro". Isto está absolutamente errado, porque a riqueza é criada pela escassez e o tempo não é escasso. Toda a economia depende da escassez: se alguma coisa é escassa, ela se torna valiosa. Mas o tempo não é escasso, está sempre presente. Não é possível esgotá-lo, então o tempo não pode ser econômico e, portanto, não pode representar riqueza.

Ainda assim, continuam ensinando que o tempo é uma riqueza que não deve ser desperdiçada, pois não voltará. Então, você não pode ficar sozinho, apenas sentado, durante três anos. Nem três meses, nem mesmo três dias, pois você terá desperdiçado esse tempo.

E o que você está fazendo? Surge um segundo problema, porque no Ocidente *ser* não é muito valioso, mas *fazer* é valioso. Pergunta-se sempre "O que você tem feito?", pois o tempo serve para fazer algo. Dizem, no Ocidente, que uma mente vazia é a morada do demônio. Você sabe disso e sua mente sabe disso. Então, ao sentar-se, sozinho, você fica amedrontado. Está perdendo tempo, não está fazendo nada, você fica se perguntando: "O que você está fazendo aqui? Está apenas sentado? Desperdiçando seu tempo?" Como se *ser*, e apenas *ser*, fosse um desperdício! Você precisa *fazer* algo para provar que usou seu tempo. A diferença na forma de pensar está aí.

Na antiguidade, sobretudo no Oriente, ser era o bastante. Não havia necessidade de provar mais nada. Ninguém iria perguntar: "O que você tem feito?" O seu ser já era suficiente, e era aceito como tal. Caso você fosse uma pessoa silenciosa, cheia de paz, de contentamento, estava tudo bem. Por isso, no Oriente, jamais foi pedido aos *sannyasins* que trabalhassem. E sempre pensamos que os *sannyasins*, aqueles que deixaram de lado todo o trabalho, eram melhores do que aqueles que estavam ocupados trabalhando.

Isso jamais ocorreria no Ocidente. Se você não estiver trabalhando, é um vagabundo, um mendigo. Os hippies são um fenômeno recente, mas, de certa forma, o Oriente sempre teve uma mentalidade hippie. Criamos os maiores hippies do mundo! Buda e Maavira, sem qualquer ocupação, sentados, meditando, aproveitando seu ser, apenas extraindo contentamento de seu jeito de ser, sem fazer nada. Mas nós os respeitávamos: eram os seres supremos, os mais elevados. Buda era um pedinte, mas até os reis ajoelhavam-se a seus pés.

No Oriente sempre foi totalmente diferente. O ser era respeitado. Não se perguntava *o que* a pessoa fazia, mas sim *quem* a pessoa era. E isso bastava. Se você tivesse descoberto a compaixão, se tivesse florescido, isso bastava. A sociedade devia ajudá-lo e servi-lo. Ninguém dizia que você deveria trabalhar ou que deveria criar algo. No Oriente, pensava-se que vivenciar seu próprio ser era a mais alta forma de criatividade, e a presença de um homem assim era valorizada. Ele poderia ficar anos em silêncio.

Maavira passou doze anos em silêncio. Não falava, não ia aos vilarejos, não via ninguém. E quando começou a falar, alguém perguntou a ele: "Por que você nunca falou nada antes?" Ele respondeu: "A fala se torna valiosa apenas quando você atingiu o silêncio. Do contrário, é fútil. Não apenas fútil, mas também perigosa, pois você está jogando lixo na cabeça dos outros. Foi esse o esforço que fiz, o de falar apenas quando toda fala houvesse cessado dentro de mim. Quando essa fala interior desaparecesse, eu poderia falar. Nesse momento, não seria uma doença."

E todos podiam esperar, pois acreditavam em reencarnação. Há histórias de discípulos que vinham procurar um mestre e esperavam durante trinta anos, sem perguntar nada. Apenas esperavam até que o mestre dissesse: "Por que você veio?" Trinta anos é muito tempo – uma vida inteira desperdiçada –, mas esperar durante trinta anos trará uma realização.

Há ocidentais que vêm me procurar e dizem: "Estamos de partida esta tarde, então nos conte o segredo, nos diga como podemos nos tornar silenciosos. Desculpe, mas não podemos ficar, precisamos partir." Estão pensando de acordo com as categorias que aprenderam – café instantâneo –, por isso acreditam que deve haver uma "meditação instantânea", algum segredo que eu possa lhes contar e que resolva a questão.

Não há segredo algum. É um longo esforço, que requer muita paciência. E quanto mais pressa você tiver, mais tempo levará. Lembre-se disso: se você não estiver com pressa, pode acontecer agora. Quando você não está com pressa, sua mente possui dentro de si a qualidade adequada, o silêncio está lá.

Siga devagar, com paciência. Não tenha pressa, pois o objetivo não está em algum outro lugar, mas sim dentro de você. Quando você não estiver com pressa, quando não estiver indo para lugar algum, irá senti-lo. No entanto, se estiver correndo, não poderá sentir nada, pois estará preocupado e tenso.

No Japão, a meditação é chamada de *zazen*. *Zazen* significa apenas sentar sem fazer nada. Os monges zen têm que se sentar durante seis horas por dia, às vezes mais. O mestre nunca lhes dá nada para fazer, eles apenas têm que ficar sentados. Foram treinados para sentar, sem pedir nada para fazer, nem mesmo um mantra. Apenas sentar.

Parece fácil, mas na prática é muito duro, porque a mente pede algum trabalho, algo para fazer. E a mente fica dizendo: "Por quê? Por que perder tempo? Por que ficar aqui, apenas sentado? O que irá acontecer só por estar sentado?" Ainda assim, durante muitos anos, o aprendiz permanece sentado, dia após dia. Então, aos poucos, a mente se cansa de você, se cansa de não ser ouvida e pára de perguntar. Quando isso acontece, aos poucos você descobre uma nova força de vida dentro de si que sempre esteve presente, mas você estava tão ocupado que não podia ouvi-la, não podia senti-la. Ao se livrar das ocupações, começou a senti-la.

A mente sempre criou problemas e gerou solidão. Experimente ficar sozinho durante, no mínimo, três meses, mas decida, com antecedência, que, aconteça o que acontecer, você não ouvirá sua mente. Decida com antecedência que você está pronto a "desperdiçar" três meses, de forma que não seja necessário ficar pensando constantemente que você está perdendo tempo. Você irá simplesmente sentar e esperar. É possível, então, que ocorra um milagre.

Em algum momento nesses três meses, um dia você tomará consciência de seu ser. Quando não há tarefas a executar, coisas a fazer, você pode perceber o ser, tornar-se consciente dele. Se há coisas demais sendo feitas, você apenas segue em frente, esquecendo o ser que está escondido por trás.

A PSICOLOGIA DOS BUDAS

SIGMUND FREUD criou a psicanálise baseada na análise da mente. Ela está confinada apenas ao estudo da mente. A psicanálise não se distancia nem um milímetro da mente, ao contrário, ela se aprofunda cada vez mais dentro da mente, em suas camadas ocultas, no inconsciente, para descobrir como fazer para que a mente humana seja ao menos normal. O objetivo da psicanálise freudiana não é muito ambicioso. Seu objetivo é manter as pessoas dentro da normalidade. Mas ser somente normal não possui um sentido maior, significa apenas que você é capaz de lidar com a rotina normal da vida. Ela não lhe traz qualquer significado, qualquer sentido. Também não lhe dá uma visão maior sobre a realidade das coisas. A psicanálise não o leva além do tempo, além da morte. É, quando muito, um mecanismo útil para aqueles que ficaram tão fora da normalidade que se tornaram incapazes de lidar com seu cotidiano. Serve para pessoas que não conseguem conviver com outras pessoas, que não trabalham, que se tornaram fragmentadas.

A psicoterapia traz um sentimento de unidade – não digo integridade, note bem, apenas a sensação de unidade. Serve para amarrar os pedaços, mas estas pessoas permanecem fragmentadas. Nada se cristaliza, nenhuma alma nasce dentro delas. Não se tornam cheias de contentamento, apenas menos infelizes, menos deprimidas.

A psicologia ajuda as pessoas a aceitar sua infelicidade, a aceitar que isto é tudo o que a vida pode lhes dar, que não devem esperar mais. De certa forma, ela é perigosa para seu crescimento interior, porque esse só acontece quando existe um descontentamento divino. Só quando você está completamente insatisfeito com o estado em que estão as coisas é que você inicia sua busca e começa a se elevar, só então você se esforça para sair do atoleiro.

Jung penetrou ainda mais fundo no inconsciente. Ele chegou ao inconsciente coletivo, mas isso apenas nos leva mais fundo no atoleiro e não ajuda em nada.

Já Assagioli foi na direção oposta. Ao perceber o fracasso da psicanálise, ele inventou o que chamou de psicossíntese. Está baseada na mesma idéia, só que dá ênfase à síntese e não à análise.

A psicologia dos budas não é análise nem síntese, mas transcendência, ou seja, ir além da mente. Não é um trabalho dentro da mente, mas um trabalho que o leva para fora dela. Este é exatamente o significado da palavra "êxtase" – sair de si.

Quando você é capaz de deixar sua mente, quando se torna capaz de criar uma distância entre sua mente e seu ser, então você terá dado o primeiro passo na psicologia dos budas. Um milagre acontece: quando você sai da sua mente, todos os problemas dela desaparecem, porque a própria mente desaparece, ela perde o controle sobre você.

A psicanálise é como podar os ramos de uma árvore: novos brotos crescerão, pois as raízes não foram cortadas. E a psicossíntese é como colar os ramos caídos de volta na árvore. Isso também não trará vida aos ramos, que continuarão com um aspecto feio. Eles não estarão verdes, não farão parte da árvore, estarão apenas colados a ela.

A psicologia dos budas corta todas as raízes da árvore que cria as neuroses e psicoses e que gera o homem fragmentado, mecânico, robotizado. E o caminho é simples...

A psicanálise demora muitos anos e, ainda assim, o homem permanece o mesmo. Ela apenas renova a estrutura antiga, remendando aqui e ali, aplicando uma mão de tinta para disfarçar. Mas continua sendo a mesma casa, nada foi radicalmente alterado. Ela não transformou a consciência do homem.

A psicologia dos budas não funciona dentro da mente. Ela não está interessada em analisar ou sintetizar, apenas ajuda você a sair de sua mente para que possa dar uma olhada pelo lado de fora.

E este próprio olhar já é uma transformação. No momento em que você consegue olhar para sua mente como um objeto, você se distancia, perde sua identificação com ela. Uma distância é criada e as raízes são cortadas.

Por que as raízes são cortadas dessa maneira? Porque é você quem alimenta a mente. Se você está identificado, você alimenta a mente. Caso contrário, você interrompe essa alimentação. Ela cai morta por si só.

Existe uma bela história que eu adoro contar... Diz a lenda que um dia, já em idade bastante avançada, Buda passava por uma floresta. Era um dia quente de verão e ele estava com muita sede. Então ele disse a Ananda, seu discípulo-mor: "Você precisa voltar, passamos por um pequeno riacho cinco ou seis quilômetros atrás. Vá, leve a minha vasilha de esmolas e me traga um pouco de água. Estou com sede e cansado."

Ananda retornou, mas, ao chegar ao local, percebeu que alguns carros de bois haviam atravessado o riacho, revolvendo o leito de folhas secas e deixando a água enlameada. Já não era mais possível beber daquela água, ela estava muito suja. Ele voltou com as mãos vazias dizendo: "Você precisa esperar um pouco. Eu vou seguir adiante, pois ouvi falar de um grande rio a apenas três ou quatro quilômetros daqui. Eu trarei água de lá."

Mas Buda insiste dizendo: "Volte e traga água do mesmo riacho."

Ananda não conseguia entender tanta insistência, mas, se o mestre estava ordenando, o discípulo obedeceria. Assim, ele retornou ao riacho, mesmo sabendo do absurdo que seria caminhar cinco ou seis quilômetros, sabendo que a água não era boa para ser bebida.

Ao retornar, Buda disse: "E não volte se a água ainda estiver suja. Se estiver suja, simplesmente sente à margem do riacho e permaneça em silêncio. Não faça nada, não entre no riacho. Apenas sente à margem em silêncio e observe. Cedo ou tarde a água estará límpida novamente, você poderá encher a vasilha e voltar."

Ananda retornou ao local. Buda estava certo: a água estava quase límpida, as folhas tinham sido levadas, a sujeira tinha assentado. Mas ainda não estava absolutamente límpida. Assim, ele se sentou à margem e apenas observou o rio fluir. Lentamente, ele se tornou transparente como um cristal e Ananda retornou dançando. Ele havia entendido por que Buda fora tão insistente, pois na sua insistência Buda havia deixado uma mensagem que ele compreendera. Ananda entregou a água a Buda e o agradeceu, tocando seus pés.

Buda então disse: "O que você está fazendo? Sou eu quem deveria agradecê-lo por ter me trazido água."

Ananda retorquiu: "Agora eu entendo. No início, eu estava com raiva. Eu não demonstrei, mas estava com raiva porque achava que era absurdo voltar. Agora, entendi a mensagem. Sentado à margem do riacho, me dei conta de que a mesma coisa acontece com minha mente. Se eu mergulhar no rio, eu o sujarei novamente. Se eu mergulhar na mente, apenas criarei mais barulho, mais problemas serão desenterrados e irão começar a aparecer. Aprendi a técnica simplesmente ao sentar à margem."

Fique sentado à margem de sua mente, observando sua sujeira, seus problemas, suas folhas podres, mágoas, feridas, memórias, desejos. Sente-se despreocupadamente à margem de tudo e aguarde o momento em que tudo estará límpido novamente.

Isto acontecerá por si só porque, no momento em que se sentar à margem de sua mente, você não estará mais transmitindo energia para ela. Essa é a verdadeira meditação. A meditação é a arte da transcendência.

Freud falou em análise, Assagioli em síntese. Os Budas sempre falaram em meditação e consciência.

O que há de tão especial nesse terceiro tipo de psicologia? Meditação, percepção, observação, testemunho – isso é único. Você não precisa de um psicanalista. Você pode fazer isto sozinho. Na verdade, você *tem* que fazer isto sozinho. Não é preciso nenhum manual, pois o processo é simples quando executado: caso contrário, parece muito complicado.

A própria palavra meditação assusta muito as pessoas, pois elas pensam que é algo difícil e árduo. Sim, se você não meditar, fica tudo muito difícil e árduo. É como nadar. No início, parece muito difícil, mas depois que você descobre o processo vê que é simples. Nada pode ser mais simples do que nadar. Não é uma forma de arte, é tão espontâneo e natural!

Tome maior consciência de sua mente. Ao fazer isso, você também tomará consciência de que você não é a mente. E este é o início da revolução. Você começa a se elevar mais e mais. Você deixa de estar atrelado à mente, que funciona como uma pedra que o detém. Ela o prende dentro de um campo gravitacional. No momento em que você se liberta da mente, quando a gravidade perde seu poder sobre você, você entra no campo de Buda. Entrar no campo de Buda significa entrar no mundo da levitação. Você começa a flutuar. A mente, no entanto, continua a puxá-lo para baixo.

Assim, não é uma questão de analisar ou sintetizar. É simplesmente uma questão de tomar consciência. É por isso que no Oriente não foi desenvolvida uma psicoterapia como a de Freud, Jung ou Adler, e outras tantas disponíveis no mercado atualmente. Nunca desenvolvemos psicoterapias porque sabemos que elas não curam. Elas podem ajudá-lo a aceitar suas feridas, mas não podem curá-las. A cura só acontece quando você não está mais preso à mente. Quando está desconectado da mente, sem identidade, completamente desatrelado, a escravidão termina e a cura pode acontecer.

A verdadeira terapia é a transcendência, e não apenas a psicoterapia. Não é um fenômeno limitado à psicologia, é muito maior do que isto. É espiritual. E pode curá-lo no mais fundo de seu ser.

AUTOPERCEPÇÃO E NÃO AUTOCONSCIÊNCIA

A AUTOCONSCIÊNCIA é uma doença, enquanto a autopercepção é saúde. Qual é a diferença? As palavras aparentemente querem dizer a mesma coisa. Podem até significar a mesma coisa, mas, quando as uso, são diferentes. Quando falo em autoconsciência, a ênfase está no eu. Quando falo em autopercepção, estou falando de percepção. Se quiser, você pode usar a mesma palavra, autoconsciência, para as duas coisas. Se a ênfase for na "consciência", será saudável. É uma diferença muito sutil, mas muito importante.

A autoconsciência é uma doença porque ela significa que você está permanentemente consciente do seu "eu". Você fica pensando: "Como as pessoas estão se sentindo a meu respeito?", "Como estão me julgando?", "Qual será a opinião delas: será que gostam de mim ou não, será que me aceitam ou me rejeitam, será que me amam ou me odeiam?". Você está sempre concentrado no "mim", no "eu", o centro é sempre o ego. Isso é uma doença, o ego é a pior doença que existe.

Contudo, se você mudar o foco, se deslocar a ênfase do ego para a consciência, não se preocupará se as pessoas o aceitam ou o rejeitam. Nesse caso, a opinião delas não importa, tudo o que você quer é estar alerta em todas as situações. Assim, não é importante se elas o amam ou odeiam, se o consideram um santo ou um pecador, nada disso importa. O que dizem ou pensam de você não lhe diz respeito, é problema delas, elas devem decidir por conta própria. Você só tenta estar alerta em todas as ocasiões.

Talvez alguém se aproxime e se curve diante de você, dizendo que você é um santo. Você não deve se preocupar com o que essa pessoa diz ou no que ela acredita. Deve apenas permanecer alerta para que essa pessoa não o arraste de volta à não-percepção, só isto. Da mesma forma, se alguém o insultar e agredir, não se importe com isso. Apenas tente ficar alerta e você permanecerá intocado – esta pessoa não pode arrastá-lo para lugar algum.

Agindo assim, você será sempre o mesmo, ao ser elogiado ou condenado, no sucesso ou no fracasso. Através de seu estado de percepção, você atinge uma tranqüilidade que não pode ser perturbada de forma alguma. Você se liberta das opiniões das pessoas.

Essa é a diferença entre um religioso e um político. O político está sempre consciente do "eu", sempre preocupado com a opinião alheia. Ele depende dos votos e da opinião alheia. Os outros são seus mestres e também aqueles que decidem por ele. Já uma pessoa religiosa domina seu próprio ego, ninguém pode tomar decisões por ela, que não depende de votos nem opiniões. Se você for até ela, tudo bem. Se você não for, tudo estará bem da mesma forma. Não há problema algum, ele continua sendo o mesmo ser.

Agora gostaria de dizer algo que parece paradoxal, mas, apesar disso, é a mais pura verdade: as pessoas que são autoconscientes – com ênfase no ego – não possuem ego. É por isso que são tão autoconscientes, porque têm medo de que alguém possa arrancar seu ego. Essas pessoas não são senhoras de si, pois seu ego foi tomado emprestado de outras pessoas. Pensando dessa forma, se alguém lhes sorri, seu ego é acariciado. Se alguém as ofende, algo terá sido subtraído e sua estrutura ficará abalada. Se alguém está com raiva, elas ficam com medo. Se todo mundo ficar com raiva ao mesmo tempo, para onde elas irão, quem serão elas? Sua identidade estará quebrada. Se todo mundo sorrir e disser: "Você é ótimo", então elas serão ótimas.

A pessoa que é religiosa e autoconsciente – com ênfase na consciência – possui um ego autêntico. Você não pode tirar esse ego dela, não pode dar-lhe um, ela o atingiu por si mesma. Se o mundo inteiro ficar contra ela, seu ego lhe fará companhia. Se o mundo todo a seguir, seu ego não será inflado. Ela possui uma realidade autêntica, um centro.

Uma pessoa política não possui um centro, tenta criar um falso. Ela pega algo emprestado de você, um pouco de outra pessoa, é assim que funciona sua vida. Uma falsa identidade, uma colagem da opinião de várias pessoas, essa é sua identidade. Se o povo se esquecer dela, estará perdida, no meio do nada. Na verdade, será um ninguém.

Por exemplo, se uma pessoa se tornar presidente, subitamente ela será alguém. Quando deixar de ser presidente, será um ninguém. Todos os jornais o esquecerão. Será lembrado apenas no dia de sua morte e, mesmo assim, haverá apenas umas poucas linhas no obituário. Será lembrado apenas como um ex-presidente, o antigo ocupante de um cargo qualquer, não como um ser humano. O que aconteceu? Um homem desapareceu, apenas isso. Enquanto você ocupa um cargo, você está na primeira página de todos os jornais e revistas. Não é você que importa, mas o seu cargo.

Assim, todos os que são pobres por dentro estão sempre em busca de uma posição, dos votos das pessoas, de opiniões. É assim que procuram desenvolver uma alma – obviamente, uma falsa alma.

Os psicólogos conseguiram chegar ao cerne do problema. Eles dizem que quem tenta ser superior sofre de um complexo de inferioridade, e que as pessoas que são realmente superiores não dão a mínima para isso. São tão superiores que nem sequer percebem que o são. Apenas uma pessoa inferior pode estar consciente de sua superioridade – e é facilmente ofendida nesse ponto. Basta você insinuar que ela não é tão maravilhosa quanto pensa para deixá-la com raiva.

Apenas uma pessoa superior pode ficar para trás, ser a última da fila. Todos os que se sentem inferiores estão tentando chegar ao primeiro lugar, porque pensam que, se forem os últimos, não serão alguém. Eles têm necessidade de estar na frente, de viver na capital. Precisam ter muito dinheiro e morar em mansões, precisam ser isto ou aquilo. As pessoas que se sentem inferiores sempre tentam provar sua superioridade através de seus bens materiais.

Resumindo, as pessoas que não têm um *ser* tentam *se tornar um ser* através das coisas: cargos, nomes ou fama.

Li em um livro sobre Lenin que um dia alguém o convidou a ouvir as sinfonias de Beethoven. Ele recusou enfaticamente. Na verdade, foi até mesmo um pouco agressivo em sua resposta. O homem que o convidara ficou incrédulo e quis saber o motivo. "Por quê? As sinfonias de Beethoven estão entre as maiores criações do homem." Lenin respondeu: "Talvez, mas toda boa música é contrária a revoluções porque propicia um contentamento muito profundo e, desta forma, a música pacifica as pessoas. Portanto, sou contra todo e qualquer tipo de música."

Se boa música se espalhasse pelo mundo, as revoluções desapareceriam. A lógica é relevante! O que Lenin está dizendo é verdade para todos os políticos. Eles não gostariam que a boa música se difundisse no mundo, não querem grande poesia, nem grandes meditadores, não querem pessoas em êxtase nem euforia, porque, se isso tudo ocorresse, qual seria o destino das revoluções e das guerras? O que aconteceria com todas as bobagens que acontecem no mundo?

As pessoas precisam permanecer sempre em um estado febril, pois só assim podem ajudar os políticos. Se o povo estiver satisfeito, contente, feliz, quem se importará com o governo? As pessoas o esqueceriam completamente. Elas apenas iriam querer dançar, ouvir música e meditar. Neste cenário, que importância teria o presidente americano? Nenhuma. Mas quando as pessoas que não têm um "eu" não estão satisfeitas, elas continuam a apoiar outros "eus", porque esta é a única maneira que têm para obter apoio para suas próprias existências.

Lembre-se de que a autoconsciência – com ênfase no ego –

é uma doença muito grave e profunda. Você deve se livrar dela. A autoconsciência – com ênfase na consciência – é uma das coisas mais sagradas que existem no mundo porque pertence a pessoas sadias, que alcançaram seu centro. Elas são conscientes. Não são pessoas vazias, mas realizadas.

MEDITAÇÕES ATIVAS PARA O HOMEM MODERNO

AS MEDITAÇÕES ativas* ou dinâmicas, que têm como princípio a catarse, permitem que todo o seu caos interior seja eliminado. Aí está a beleza dessas técnicas. Mesmo que você não consiga se sentar e permanecer em silêncio, você com certeza pode executar as meditações dinâmicas ou caóticas facilmente. Uma vez removido o caos, surgirá um silêncio em você. Então você será capaz de se sentar em silêncio. Se executadas correta e continuamente, as técnicas de meditação catártica dissiparão todo o seu caos interior. Não é necessário que você passe por um estágio de loucura em sua jornada, como muitas pessoas já tiveram que fazer no passado. É por isto que

---

**Nota do editor:* Ao longo de sua vida, Osho desenvolveu diversas técnicas de meditação ativa especialmente para o homem moderno. Muitas envolvem um período de intensa atividade física e catarse, seguido por um período de observação silenciosa e celebração. Todas essas meditações são acompanhadas com música para ajudar a guiar o meditador através dos diferentes estágios. Este livro contém uma das técnicas mais passivas e femininas, a meditação Nadabrahma, nos capítulos seguintes. Outras técnicas mais ativas incluem a meditação dinâmica, a meditação Kundalini e a Nataraj.

as minhas técnicas são tão interessantes. A loucura também já está sendo colocada para fora, isso já faz parte da técnica.

É interessante notar que Patanjali, o fundador da ioga, não desenvolveu nenhum método catártico. Ao que parece, não eram necessários na sua época. As pessoas eram naturalmente mais silenciosas, pacíficas, primitivas. A mente ainda não funcionava tanto. As pessoas dormiam bem e viviam como os animais. Elas não eram tão pensativas, lógicas e racionais. Estavam mais centradas no coração, como acontece com os povos primitivos ainda hoje. Além disso, a vida funcionava de uma forma tal que produzia muitas catarses automaticamente.

Pense em um lenhador, por exemplo. Ele não precisava de catarse porque, ao cortar a lenha, todos os seus instintos assassinos eram eliminados. Cortar lenha é como assassinar uma árvore. Um pedreiro não precisava fazer meditação catártica, ele a fazia o dia inteiro. Mas as coisas mudaram para o homem moderno. Hoje nós vivemos em tamanho conforto que não existe a possibilidade de realizarmos qualquer catarse em nossas vidas, exceto, é claro, se você dirigir como um louco!

É possível que você já tenha observado que, ao dirigir quando está com raiva, você vai mais rápido do que de costume, continua a pisar no acelerador e simplesmente se esquece de que existem freios. Quando está irritado e com muito ódio, o carro se transforma em um meio de expressão. Tirando isso, você vive muito confortavelmente, faz menos exercícios físicos a cada dia que passa e vive mais e mais dentro de sua mente.

Aqueles que têm conhecimento sobre os centros mais profundos do cérebro costumam dizer que os trabalhadores braçais são pessoas menos ansiosas e tensas, que dormem melhor. Isto pode ser explicado porque as mãos estão conectadas com a parte mais profunda do cérebro. Quando você trabalha com as mãos, a energia está fluindo da cabeça para as mãos e sendo liberada. As pessoas que trabalham com as mãos não precisam de uma catarse, mas aquelas que realizam trabalhos essencialmente mentais precisam de muita catarse porque acumulam energia demais e não possuem uma saída ou abertura por onde ela possa ser liberada do corpo. Essa energia permanece dentro da mente o tempo todo, enlouquecendo-a.

Contudo, em nossa cultura e sociedade – no escritório, na fábrica, no mercado –, aqueles que trabalham com a mente são conhecidos como os "cabeças": são os chefes, gerentes, diretores, presidentes. Já os que trabalham com as mãos são a "mão-de-obra", há um significado pejorativo associado ao trabalho manual.

Antigamente, não havia a necessidade de catarse, porque a própria vida já era uma catarse. Hoje, porém, não é mais assim. Por isso inventei os métodos catárticos. Somente após executá-los você será capaz de sentar-se em silêncio, mas não antes.

Eu também tenho insistido na idéia de celebrações como parte de suas meditações. Neste mundo onde a consciência reina, nada é mais útil do que celebrar. Celebrar é regar uma planta. Preocupar-se é o oposto, é cortar raízes. Meu conselho é ser feliz, dançar com seu silêncio. O momento está aí, aproveite-o. Por que pedir mais? Amanhã será um novo dia, mas este momento é o bastante. Então, por que não vivê-lo, celebrá-lo, dividi-lo com outros, aproveitá-lo? Deixe-o transformar-se em uma canção, uma dança, um poema. Permita que seu silêncio seja criativo, faça algo com ele. Milhões de coisas se tornam possíveis, porque nada é mais criativo do que o silêncio. Não é preciso ser um grande mestre da pintura, um Picasso. Não é necessário ser um grande líder ou um grande poeta. Estas ambições de grandeza pertencem à mente e não ao silêncio. Mesmo que o resultado seja insignificante, pinte, escreva um poema, cante, dance um pouco, enfim, celebre e você verá que o momento seguinte trará mais silêncio. Quanto mais celebrar, mais receberá em troca. Quanto mais compartilhar, mais será capaz de receber. A cada momento esse movimento cresce. Se o momento seguinte nasce sempre do atual, então por que se preocupar com isso? Se o momento atual é um silêncio, como o momento seguinte poderia ser caótico? De onde o caos virá? O momento seguinte nascerá do momento atual. Se estiver feliz neste momento, como poderei estar infeliz no seguinte?

Se quiser que o momento seguinte seja triste, então você precisa estar infeliz no momento atual, porque a infelicidade só gera mais infelicidade. Da mesma forma, somente a felicidade pode gerar felicidade. Não importa o que você queira colher no próximo momento, você deve plantá-lo imediatamente. Quando você permite que a preocupação exista, você começa a pensar que o caos também existirá, e ele virá, de fato, porque você mesmo já o trouxe. Você é obrigado a colher aquilo que plantou.

Lembre-se disso, que é algo realmente estranho: quando você está triste, nunca pensa que sua tristeza pode ser imaginária. Jamais encontrei uma pessoa triste que me dissesse que sua tristeza talvez fosse imaginária. A tristeza é absolutamente real. Mas, e a felicidade? Imediatamente algo sai errado e você começa a pensar: "Talvez ela seja imaginária." Sempre que você está tenso, jamais pensa que sua tensão e angústia possam ser uma fantasia. Se pudesse, elas desapareceriam. Assim, se você pensa que seu silêncio e sua felicidade são imaginários, eles desaparecerão.

Tudo o que se percebe como real torna-se real. Tudo o que se percebe como irreal torna-se irreal. Lembre-se de que você é o criador de todo o mundo a seu redor. É tão raro atingir um momento de felicidade total – não desperdice esse momento com pensamentos. Mas, se você não fizer nada, poderá ficar preocupado. Se não dançar, cantar, nem compartilhar, a possibilidade da preocupação estará sempre lá. A própria energia que poderia ser canalizada para algo criativo irá gerar essa preocupação. E isso criará novas tensões dentro de você.

A energia tem que ser criativa. Se você não usá-la para a felicidade, a mesma energia será usada para gerar infelicidade. E como você tem hábitos tão arraigados para a infelicidade, o fluxo da energia provavelmente já se tornou bastante frouxo dentro de você. Para criar felicidade você precisa fazer muito esforço.

Assim, você terá que estar constantemente consciente e, sempre que houver um belo momento, deixe-o agarrá-lo, possuí-lo e aproveite-o em sua totalidade. Se fizer isto, será impossível que o momento seguinte seja diferente. Por que seria diferente? De onde viria?

O tempo é criado dentro de você. Seu tempo não é o mesmo que o meu. Existem tantos tempos paralelos quanto existem mentes. Não existe um tempo único. Se houvesse, haveria dificuldades. Se assim fosse, não seria possível que alguém, nesta mísera raça humana, se tornasse o Buda, porque pertenceríamos todos ao mesmo tempo. Não, o tempo não é o mesmo para todos. Meu tempo vem de dentro de mim, é minha criatividade. Se este momento é belo e se o próximo nasce ainda mais belo – este é o meu tempo. Se este momento é triste para você, então um momento ainda mais triste nascerá dentro de você – este é o seu tempo. Há milhões de linhas de tempo paralelas. Mas há pouquíssimas pessoas que existem fora do tempo – aquelas que atingiram a não-mente. Essas pessoas não têm tempo porque não pensam a respeito do passado. O passado já foi e somente os tolos pensam nele. Quando algo se foi, passou, já não é mais.

Há um mantra budista que diz *gate, gate, paragate – swaha*, o que quer dizer "passado, passado, totalmente passado – deixe-o queimar". O passado é passado, o futuro ainda não chegou. Por que então se preocupar a respeito? Quando o momento chegar, você estará ali para encontrá-lo, não há motivo para ansiedade. Só o momento atual importa, puro, intenso, cheio de energia. Viva este momento! Se ele for feito de silêncio, seja grato. Se for de pura felicidade e contentamento, dê graças a Deus e tenha fé. Se tiver fé, ele crescerá. Se for descrente, você já o terá envenenado.

MEDITAÇÃO NADABRAHMA

A MEDITAÇÃO Nadabrahma é uma meditação baseada em mantras, e os mantras são um dos caminhos com maior potencial para quem deseja meditar. Essa meditação é muito simples, porém eficaz.

Quando a meditação é executada da maneira correta, todo o seu cérebro começa a vibrar fortemente, assim como seu corpo. E quando seu corpo vibra enquanto sua mente canta, ambos entram em sintonia. Surge então uma harmonia, em geral ausente, entre os dois.

Sua mente e seu corpo normalmente trilham caminhos separados. O corpo continua com seus afazeres, o cérebro permanece pensando. O corpo caminha, enquanto a mente trilha caminhos além das estrelas. Eles nunca se encontram, e isso cria uma cisão.

Essa esquizofrenia básica surge porque o corpo e a mente seguem rumos diferentes. E você é o terceiro elemento, dividido entre os dois. Uma metade é puxada pelo corpo, a outra pela mente. O resultado disso é uma grande angústia, a sensação de ser rasgado ao meio.

Quando você medita com um mantra, seja nadabrahma ou qualquer outra forma de cântico, o som daquilo que você canta ressoa dentro de você e o corpo começa a responder. Pode ser qualquer som, até mesmo "abracadabra". Em algum momento o corpo e a mente estarão indo juntos na mesma direção, pela primeira vez. E, quando corpo e mente estão juntos, você está livre de ambos e não se sente dividido. É então que o terceiro elemento, aquilo que você é de fato – quer você o chame de alma, espírito, *atma* ou outra coisa qualquer –, se sente em paz porque não está sendo puxado em direções opostas.

O corpo e a mente estão tão envolvidos em cantar que o espírito pode separar-se deles muito facilmente, sem ser observado, e pode tornar-se uma testemunha. Pode olhar de fora e ver o jogo que está em andamento. O ritmo do mantra é tão belo que nem a mente nem o corpo se dão conta de que o espírito foi embora, discretamente... Eles não costumam permitir isso facilmente.

Quando estiver praticando a meditação Nadabrahma, lembre-se disso: deixe que o corpo e a mente fiquem absolutamente juntos. Você, contudo, tem que se tornar um observador. Saia de ambos, gentilmente, lentamente, pela porta dos fundos, sem brigas, sem esforço.

Este é o sentido da palavra "êxtase": sair de si. Saia de si mesmo e observe. Você encontrará um estado cheio de paz. Cheio de silêncio, contentamento, uma bênção. Isto é tudo que há por trás dos cânticos, é o motivo pelo qual eles prevaleceram ao longo dos séculos. Nunca houve uma religião que não usasse cânticos e mantras.

Há, contudo, um perigo. É preciso sair. Caso contrário, se você não se tornar um observador, você terá compreendido mal. Se você ficar preso à embriaguez do corpo e da mente, se seu espírito também ficar bêbado, nesse caso os cânticos serão inebriantes, intoxicantes. Serão cantigas de ninar, que lhe trarão um bom sono e nada mais. Funcionarão como tranqüilizantes. Isso é bom, e não há nada de errado aí, mas também não há qualquer valor real.

Lembre-se, então, desta cilada, que deve ser evitada: os cânticos são tão bonitos que talvez você queira se perder em meio a eles. Se você se perder, terá aproveitado um ritmo interno, terá sido uma boa experiência da qual você terá gostado, mas terá sido apenas uma droga, uma viagem lisérgica.

Os cânticos provocam mudanças químicas no corpo não muito diferentes daquelas provocadas pela maconha ou pelo LSD. Um dia, quando as pesquisas sobre meditação houverem sido aprofundadas, será descoberto que os cânticos criam mudanças químicas, da mesma forma como o jejum também cria mudanças químicas. Depois do sétimo ou oitavo dia de jejum, a pessoa se sente enormemente alegre, flutuando, muito feliz sem motivo algum, como se um peso houvesse sido removido. Seu corpo está passando por uma mudança química.

Sou contra o LSD, assim como sou contra jejuar. E se os cânticos forem usados como uma droga, também sou contra isso. Você não deve usar o som, o cântico, o mantra, como um elemento para intoxicar seu ser. Deixe que seja um intoxicante para o corpo e a mente, mas saia de dentro deles antes que você seja afetado. Fique de fora e observe. Você verá o corpo balançando, a mente em paz extrema e muito calma. Observe de fora, alerta como uma chama.

Lembre-se: se você dormir, não será meditação. Meditação significa percepção e estado de alerta.

INSTRUÇÕES PARA A MEDITAÇÃO NADABRAHMA

Nadabrahma é uma antiga técnica tibetana, originalmente praticada nas primeiras horas da manhã. Pode ser praticada a qualquer hora do dia, a sós ou acompanhado, mas seu estômago deverá estar vazio e você deverá permanecer inativo durante pelo menos 15 minutos após a meditação. A meditação dura uma hora e tem três estágios. Você recebe junto com este livro um CD para ajudá-lo a meditar.

PRIMEIRO ESTÁGIO: 30 MINUTOS

Sente-se em uma posição relaxada, com seus olhos e seus lábios cerrados. Comece a emitir um som, suficientemente alto para ser percebido por outras pessoas e para criar uma vibração em todo o seu corpo. Se quiser, visualize um vaso ou um tubo vazio, preenchido apenas com as vibrações desse som. Haverá um ponto em que o som continuará por conta própria e você se tornará o ouvinte. Não é necessário fazer nenhuma respiração especial e você pode alterar o tom ou mover seu corpo suave e lentamente caso queira.

SEGUNDO ESTÁGIO: 15 MINUTOS

Este segundo estágio é dividido em duas sessões de sete minutos e meio. Na primeira metade, mova as mãos, palmas para cima, fazendo um movimento circular. Começando no centro do abdômen, cerca de quatro dedos abaixo do umbigo, as duas mãos devem mover-se para a frente e depois separar-se, fazendo dois círculos largos que se espelhem à esquerda e à direita. O movimento deve ser tão lento que em alguns momentos pareça não haver movimento algum. Sinta a energia fluindo de você para o Universo.

Após sete minutos e meio, vire a palma das mãos para baixo e comece a movê-las na direção oposta. Agora, as mãos irão aproximar-se ao chegar perto do centro do abdômen e irão separar-se, fazendo um círculo para fora na direção dos lados do corpo. Sinta a energia entrando em você.

Assim como no primeiro estágio, não reprima eventuais movimentos suaves e lentos do restante do corpo.

TERCEIRO ESTÁGIO: 15 MINUTOS

Sente-se ou deite absolutamente quieto e imóvel.

(Observação importante: ao praticar este estágio ouvindo o CD que acompanha este livro, você perceberá que a terceira faixa do CD é silenciosa, não tocando qualquer música. Ao final dos 15 minutos de silêncio desta faixa, você ouvirá o som de três sinos marcando o final deste estágio.)

NADABRAHMA PARA CASAIS

O casal deve sentar-se de frente um para o outro, ambos cobertos por um lençol e segurando as mãos em posição cruzada.

É melhor não usar nenhuma outra roupa.

Ilumine o quarto apenas com quatro pequenas velas e queime um incenso que deverá ser destinado exclusivamente a essa meditação.

Fechem seus olhos e, juntos, emitam um som durante 30 minutos. Após algum tempo, vocês poderão sentir as energias se encontrarem, se juntarem e se unirem.

Para mais informações em português sobre OSHO,
visite o site: www.osho.com/pt

Este site tem informações completas sobre as meditações, livros e fitas do Osho. Através dele você poderá conhecer o Osho Meditation Resort, consultar o calendário de cursos que ele oferece e ler pequenos trechos das palestras de Osho.

Meditation Resort

Situado em Puna, Índia, o Resort de Meditação da Osho Commune International é um lugar ideal para relaxar das tensões do dia-a-dia e nutrir a alma. Situado em um belo campus, oferece múltiplas possibilidades para o relaxamento e para encontrar a si mesmo.

Mais informações no site: www.osho.com/pt/visit

CONHEÇA OUTRO TÍTULO DA EDITORA SEXTANTE

Atenção plena
Mark Williams e Danny Penman

Com 200 mil exemplares vendidos, este livro e o CD de meditações que o acompanha apresentam uma série de práticas simples para expandir sua consciência e quebrar o ciclo de ansiedade, estresse, infelicidade e exaustão.

Recomendado pelo Instituto Nacional de Excelência Clínica do Reino Unido, este método ajuda a trazer alegria e tranquilidade para sua vida, permitindo que você enfrente seus desafios com uma coragem renovada.

Mais do que uma técnica de meditação, a atenção plena (ou mindfulness) é um estilo de vida que consiste em estar aberto à experiência presente, observando seus pensamentos sem julgamentos, críticas ou elucubrações.

Ao tomar consciência daquilo que sente, você se torna capaz de identificar sentimentos nocivos antes que eles ganhem força e desencadeiem um fluxo de emoções negativas – que é o que faz você se sentir estressado, irritado e frustrado.

Este livro apresenta um curso de oito semanas com exercícios e meditações diárias que vão ajudá-lo a se libertar das pressões cotidianas, a se tornar mais compassivo consigo mesmo e a lidar com as dificuldades de forma mais tranquila e ponderada.

Você descobrirá que a sensação de calma, liberdade e contentamento que tanto procura está sempre à sua disposição – a apenas uma respiração de distância.

Para saber mais sobre os títulos e autores
da Editora Sextante, visite o nosso site.
Além de informações sobre os próximos lançamentos,
você terá acesso a conteúdos exclusivos
e poderá participar de promoções e sorteios.

sextante.com.br